L'ŒUF
TRANSPARENT

Jacques RUFFIÉ

De la Biologie à la Culture (2 vol.).
Traité du Vivant (2 vol.).

JACQUES TESTART

L'ŒUF
TRANSPARENT

Préface de Michel Serres

FLAMMARION

L'œuf transparent est une version entièrement remaniée, complétée et mise à jour d'un précédent ouvrage de Jacques Testart : *De l'éprouvette au bébé-spectacle,* paru aux éditions Complexe (1984).

© Flammarion, 1986.
ISBN : 2-08-081157-6

PRÉFACE

Le docteur Faust portait un nom d'homme heureux. La science, en ces temps-là, exultait, considérant son œuvre bonne, même en pensant parfois vendre son âme au diable. De fait un tel bonheur ne nous quitta pas jusqu'au jour d'Hiroshima. Ce premier coup porté au narcissisme savant n'empêcha pas cependant que, depuis, les bombes se multipliassent en augmentant leur puissance, progrès qu'on porte difficilement au crédit des techniciens ou politiques. Une activité pure en tous points commençait à poser d'autres questions que de connaissance.

Ses triomphes et ses inquiétudes ont émigré peu à peu, depuis un demi-siècle, de la physique à la biologie. Devenue scientifique et expérimentale, elle intervient désormais puissamment dans les corps. Non point dans les morts, comme nos aïeux tranchant dans les cadavres pour en faire des momies, en un geste long d'éternité, mais dans les vivants et les possibles pour se substituer de plus en plus à une fonction naturelle et hasardeuse, la procréation, en un geste long de programmation rationnelle et de prévision. Elle pose alors des questions au savant, autres que de connaissance : va-t-il demeurer faustus, *encore heureux ?*

*
**

On peut dire heureux Jacques Testart, docteur Faust de notre siècle : d'avoir beaucoup inventé, premier sans conteste dans les techniques de pointe, père d'Amandine, la première fille de l'âge nouveau, illustre et reconnu parmi les grands de notre temps, heureux donc, mais inquiet soudain, élevant le regard au-delà de l'expérimentable et sa passion de chercheur au-dessus du mal de concurrence, prudent, posé, réfléchi, profond : que faisons-nous, dit-il, poussés par la compétition, où allons-nous ? Demain, l'homme que nous procréons quasi artificiellement différera de nous plus encore que nous ne différons d'Homo sapiens. Nous organisons donc sans y prendre garde l'oubli de l'homme que nous sommes : nous nous en souvenons à peine, déjà. Faut-il dire que la vérité, pour les Grecs anciens, se définissait, justement, comme l'inverse d'un tel oubli ? Cet effacement effraie.

L'inquiétude, l'effroi, la quête d'attente et de réflexion définissent un savant de deuxième génération, aussi différent du docteur Faust que celui-ci différait des embaumeurs de l'Antiquité. L'arrêt que ce livre, que son auteur demandent au lecteur, le lecteur depuis quelque temps le demande aussi. Notre âge cherche un pouvoir sur nos pouvoirs, une maîtrise douce sur nos maîtrises dures et requiert une méditation nouvelle sur la concurrence animale transposée bêtement sur un savoir qu'on veut encore humain. Jacques Testart, savant de deuxième génération, inquiet, serein, prudent, profond, cherche à nous préserver des multiples dominantes parasites que la première génération a instituées. Elle peut parce qu'elle sait. Certes. Maintenant il faut, de plus, penser. La nouvelle science devient plus et mieux qu'heureuse, grave.

Voici un livre et un auteur deux fois sérieux et graves. D'abord en ce qu'ils disent et décrivent, faites confiance à leur compétence. Ensuite et surtout en ce qu'ils réfléchissent, avouent et prévoient. Au fond, nous ne croyons sur parole que ceux qui se décalent de leur groupe et de ses pressions ; ils ne répètent pas, mais prophétisent. Jacques Testart sait, réalise et pense, admirez cette rareté.

Qu'y a-t-il à penser aujourd'hui ? Charnellement, la venue du nouvel homme.

Appelons homme cette bête dont le corps perd[1].

On dirait que nos organes se vident quelquefois de leurs fonctions pour les verser à l'extérieur. La bouche n'appréhende plus comme la gueule qu'elle fut, elle parle ou signifie ; la main ne s'appuie plus sur le sol ni ne marche, comme une patte, elle prend ; saisit bientôt moins qu'elle ne travaille ; ne travaille plus guère, mais écrit ou appuie sur des touches ; elle n'écrit plus beaucoup, que va-t-elle aujourd'hui entreprendre ? La mémoire transvase sur la page ses souvenirs analysés en éléments, nous voici entourés de volumes, de circuits et de banques objectivant dans l'espace d'anciennes fonctions du système nerveux. Nous perdons. Nous dormons dans des demeures douces comme des girons ou des utérus, l'espace social et bientôt le monde physique se peuplent de nos membres

---

1. Le texte qui suit a été prononcé dans une version légèrement différente, au colloque « Génétique, procréation et droit » (1985) (Actes publiés aux éditions Actes Sud).

épars appareillés, ou plutôt des anciennes fonctions
déposées hors d'eux par nos membres, qui s'ingénient
alors à en trouver de nouvelles.

Nommons homme l'animal dont le corps lâche ses
fonctions. La bête reste forteresse. Démuni de ce mur
de bêtise, l'homme, poreux, perd, il verse dans
l'espace sa capacité. Cette débâcle fait l'histoire, elle
rythme notre durée longue.

Pourquoi donc la reproduction échapperait-elle au
destin qui a redressé notre marche, mis la parole au
lieu de la proie, gravé les souvenirs sur les tables de
cire ou les mémoires d'ordinateurs, qui a ensemencé le
volume du monde d'institutions et de machines appa-
reillées de nos fonctions et relations ? L'ovaire et la
bourse versent donc à l'extérieur des cellules célibataires qui vont chercher fortune dans le monde, sans
eux, mais avec le secours de la parole et de l'entre-
prise. Le corps perd à nouveau une de ses fonctions et
l'ensemence dans l'espace, donnant lieu, à nouveau, à
des institutions, des objets, des discours et du temps :
évolution et non révolution, histoire qui se range dans
ce qu'on aurait dû prévoir. L'usuel nous prend
toujours de court.

Nous ne donnons pas naissance à des enfants
seulement, nous accouchons aussi ou avortons de
quartiers entiers de pierre, de fer ou de codes qui
montrent ou cachent la grande ombre du corps sur
l'histoire, les institutions, le pouvoir ou les villes.
Ainsi naissait hier, naît ce matin, naîtra demain la
culture délaissée ou la science aînée, comme une autre
nature, au sens où ce mot signifie ce qui s'apprête à
naître. Nous commençons à engendrer des corps dans
la culture. Tout se passe comme si ce que nous
appelons naissance médicalement assistée, réputée
artificielle, restait encore naturelle, envisagée au long
de cette histoire-là.

Nous avançons lentement vers la célébration de deux noces en une : celles de l'artifice et de la nature, inattendues et prévisibles ; celles du mâle, réduit par la nature à l'engendrement culturel, et de la femme, longuement condamnée par quelques cultures à se contenter du travail dit naturel. Nous avançons vers leur égalité par des processus en train de s'unifier.

La loi longue concernant la perte de nos fonctions fait comprendre ce que nous faisons, mais aussi comment nous vivons ; nous ne comprenons rien au vivant sans penser le temps.

Dans les sciences de l'inerte, par exemple en mécanique ordinaire, le temps équivaut à un déplacement : chute d'un grave ou d'un filet d'eau de haut en bas, passage dans un espace de tel lieu à un second lieu. Dès ses considérations sur la chaleur et le feu, la thermodynamique en pense un autre avec l'aide du probable : l'entropie croît avec lui. Comme une flèche qui vole et va au but, le temps a direction et sens, il ne revient plus sur soi. Dans les sciences du vivant, il ne compte plus comme une variable parmi d'autres, mais devient l'objet principal. Un vivant se fait de temps. A condition de le penser au pluriel. Nous portons en nous le réversible, celui de l'électrocardiogramme ou d'autres horloges à retour, deux temps irréversibles, celui de Boltzmann qui nous tire vers la vieillesse et la mort, celui de Darwin qui nous entraîne vers le plus complexe, nous portons en nous plusieurs mémoires qui sans doute ne fonctionnent pas de la même façon, la perceptive ou sensorielle pour l'apprentissage, l'immunitaire pour la défense contre l'environnement, les culturelles, religieuse, familiale, historique, savante, je les mêle à dessein, qui nous plongent dans des temps différents et nous préparent à des futurs sans rapport, à qui notre organisme seul confère des rapports. La définition la plus profonde quoique encore un peu confuse du vivant consisterait à le réputer comme nœud de temps divers, comme échangeur unique de temporalités séparées : confluent de flux disparates et variés. Nous ne les connaissons pas tous, sans doute. Comment nommer par exemple celui qui s'agite chaotiquement dans l'électro-encéphalogramme ?

Les sciences et les techniques d'intervention sur le vivant décrivent, touchent, explorent, explicitent, dénouent ce confluent de temps. Or, l'un d'entre eux nous occupe un peu plus aujourd'hui. Nous portons tous des cellules génétiques : elles battent un autre temps que ceux qui modèlent notre phénotype. Nous vivons actuels, tendus vers l'instant futur, en portant des virtuels, qui dorment pour le futur d'une autre contingence. Demain pour moi se réduit à un possible, plus ou moins probable, plus ou moins prédictible, qui ne voit cette évidence que le génome porte un autre ordre de possibles ? Une autre strate de virtuels ? Non encore emporté par le confluent des temps qui m'entraînent mais pouvant d'un instant à l'autre y plonger pour bifurquer brusquement loin de moi et inventer, à mon émerveillement ou scandale, un autre nœud de temps singulier, innovateur ou lamentable. Le génotype contient le possible en sommeil, comme un virtuel enveloppé. Ce temps original dessine l'un des tributaires de mon fleuve chronique.

Si les temps du vivant font apparaître, aussi bien par l'évolution des espèces que par la naissance d'individus singuliers, un flux ininterrompu d'incessante nouveauté, alors le génome contient le stock de ce flot. Nous allons nous poser des questions sur la gestion de ce stock. Le livre qui suit a pour objet profond le temps. Et plus exactement le temps virtuel. Le temps possible en stock dans le génome. Nous défaisons du nœud un fil profond, sans doute le fil principal.

De même que jadis les moulins tournaient au fil de l'eau en prélevant sur le cours des rivières une rente d'énergie, de même que naguère nos pères construisirent des barrages pour exploiter directement le capital du lac dont la chute n'était que le rapport au fil du temps, de même nous remontons de la flèche du temps au carquois lui-même, j'allais dire au carquois d'Éros lui-même, petit dieu d'amour espiègle qui expédiait, selon les Grecs, ses dards sur les victimes d'Aphrodite. Nous venons de mettre la main sur le lac des possibles, sur le stock du virtuel. Au XVIIᵉ siècle, Leibniz avait déjà pensé cette banque des possibles et l'avait transportée dans l'entendement de Dieu. Dieu combinait, associait, comparait les possibles, un à un, deux par deux, ensemble par ensemble, et créait le monde tel qu'il va par optimisation des résultats de la combinatoire. Nous avons mis la main sur l'entendement divin et sur les processus créatifs décrits par Leibniz, sur le jeu des arrangements et des extrema.

Les questions concernant le vivant se groupent, sans obstacle, sous la notion de temps ; il suffit de les penser sous sa réalité unique pour découvrir aussitôt quelques principes généraux d'éthique.

Nous ne nous y attendions pas. Nos comités ad hoc *s'accordent le plus souvent sur les cas singuliers, même si les horizons dont se réclament ceux qui siègent là divergent de l'espace du ciel. Nous découvrons tardivement les vertus de la casuistique, étude patiente, locale, concrète, jurisprudentielle des cas ; considère le malade plus que la maladie, affirmait la vieille médecine, casuiste déjà. Les nouveautés, quelquefois, viennent seulement de nos oublis. Nous importons aussi à grands frais de traduction une éthique éclatée*

en morceaux de matière plastique alors que notre
tradition européenne avait sculpté la même, pendant
plus de deux millénaires, en granit et en or. La morale
va moins vite que la raison, même si celle-ci
l'entraîne. Même si les institutions, lentes et inertes,
interdisent d'abord, puis redoutent, tolèrent, prati-
quent, demandent et finissent par exiger tel ou tel
progrès biomédical.

Accordez-moi ceci. Nous considérons ce qui précède
et conditionne la naissance, des pronostics, prévisions
ou prédictions, des programmes, nous remontons dans
le temps du vivant vers le lieu, accessible aujourd'hui
à nos interventions, où gisent les possibles.

Ce qui gît là ne jouit pas de la nécessité. Déjà notre
vie actuelle ne saurait se vanter de sa nécessité.
D'autres que vous pourraient lire ce matin un autre
que moi. Vous vivez contingents comme moi, d'existence plus légère que de communes lois. Si vous êtes
là, comme moi, il a bien fallu que votre possibilité fût
quelque jour préservée, fragile.

Si nul d'entre nous ne peut se dire nécessaire, à quel
point ne pouvons-nous pas le dire de ce qui ne se
présente que comme promesse, programme, virtualité.
La génétique nous ouvre les stocks de ce deux fois
possible, de cette contingence multiple et variée, mais
frêle.

Cherchons à décrire le nouveau monde où nous
entrons.

L'ancien d'abord : la morale et cette classification
des êtres et choses qu'on appelle ontologie et qui donne
statut aux objets présents au monde, décrivent ou
norment, dans la tradition, les réalités que nous
trouvons sous nos sens et dans nos vies. Ni la
philosophie ni le droit ni les sciences, par souci du

*concret, n'aiment perdre leurs efforts dans ce qu'ils
nomment des songes. Ils se disent éveillés. L'éthique
la plus répandue, si prégnante parmi nous que nous
croyons, oublieux de dix autres, qu'elle seule vaut,
nous représente en situation : ici, maintenant, dans
l'espace et le temps, face à l'obstacle.*

*Or, les questions qui nous assemblent aujourd'hui,
génie génétique, procréation médicalement assistée,
ouvrent une dimension nouvelle dans le tableau des
êtres ou cette représentation morale, comme un arrière-
monde, ou mieux un avant-monde. Ladite réalité
donne une impression de théâtre, nous éclairons ses
coulisses tout autour du décor. Dans le fond volumi-
neux ainsi ouvert derrière ce qui apparaît se développe
une sorte de nappe de cône où les possibles attendent
avant de se présenter ou de ne pas se présenter au
monde actuel. Comme si l'apparence ne recouvrait
pas, comme on le croyait, le réel, mais le potentiel,
mais le virtuel. Certes, nous avions toujours conçu ou
imaginé ce fond, mais comme nous ne pouvions
intervenir sur lui, nous le laissions aux rêves impuissants de la métaphysique. Une fois de plus, elle
anticipe notre maîtrise. Seul le réel m'intéresse quand
je puis le transformer, disait le penseur sérieux de la
génération précédente, les possibles font le rêve des
songe-creux. Il condamnait le vieux précepte de
Voltaire : cultivez votre jardin. Or, le jardinier
croisant les espèces fait advenir des possibles à
l'existence, il crée donc, aïeul de nos généticiens, et ne
se contente pas de transformer. La morale superficielle
nous apprenait à rire de la morale profonde qui, venue
ce matin du jardin d'utopie, s'impose à la nouvelle
histoire où ce jardin ou stock ou patrimoine génétique
fait l'objet de nos travaux ou de nos inquiétudes.
Nous avons percé la superficie du tableau ou classe-
ment ontologique et fouillons de nos techniques fines le*

*potentiel ou virtuel multiplement épais derrière le
plaqué de l'apparence phénotypique.*

*Nous avons à faire l'inventaire du jardin de
Voltaire ou celui du jardin d'Adam, mais ces images
nous abusent, il existe mille jardins possibles multiplement répartis ; notre premier parent nommait bête par
bête, dit-on, ou plante à plante, nous avons à coder
les possibilités. Non nous ne faisons pas l'inventaire
de l'arche de Noé, premier capital stable et conservé
de la faune ou la flore présente, mais nous voyons
flotter une escadre d'arches, une flotte, les navires
possibles se multiplient sur l'eau. Nous avons à faire
une sorte d'inventaire infini, celui des mondes possibles dormant dans l'entendement divin chez Leibniz,
nous avons désormais la responsabilité de gérer le cône
infini des possibles qui gisent derrière cette apparence
que la morale de nos pères nommait seule réalité.*

*L'inventaire, activité spéculative, semble ne poser
aucun problème éthique ; le choix, au contraire, en
pose un, sérieux. Une fois qu'on a longuement
combiné, il faut choisir ce qui passera du possible à
l'actuel. Ce geste que Leibniz réservait à Dieu, nous
avons depuis quelque temps et nous aurons loisir plus
tard de le faire à sa place.*

*Nous venons d'ouvrir le champ des possibles à la
connaissance et à l'intervention. Voici plus de trois
cents ans, Descartes promettait ou annonçait notre
maîtrise et possession de la nature par les sciences et
les techniques : alors que nous n'avions pouvoir que
sur l'inerte et que nous ne soumettions le vivant que
par condamnation à mort. Nous venons de mettre la
main sur le potentiel, sur le virtuel en puissance ; nos
langues veulent qu'il s'agisse du même mot, il s'agit
sans doute de la même chose : nous avons pouvoir sur
le pouvoir, et puissance sur la puissance. Notre
maîtrise s'avance de l'apparence à ses multiples*

possibilités. Si la politique se disait jadis art du possible, elle se trouve dépassée dans son propre exercice par les sciences du vivant. Le maître ne le devient plus pour menacer un corps d'esclave ou pour mieux affronter la mort, par audace ou bravade, mais pour tenir la nature, ce qui va naître, ce qui se destine ou va se décider à naître, le potentiel non encore né. Il tient le guichet, le défilé, la porte étroite où les possibles présentent leur prétention à exister. Il peut les annuler sans lutte.

En ce lieu se lève une éthique fragile. Dont le premier principe, universel, nous institue gardiens. Un nombre prodigieux de possibles attend. Or le possible revient ici au discernable. Nous entrons dans un savoir et un moment d'histoire où la multiplicité, où le pluralisme, la variété, les ensembles différenciés, les mélanges, sont reconnus et explorés. Monde, temps et raison bigarrés, nués, moirés, divers. Nous voici les gardiens de ces multiplicités qui promettent un avenir en mosaïque. La loi univervelle de l'éthique recouvre les découvertes de la science et les usages des juristes, elle doute comme eux, un peu, de l'universel, du général, de l'unitaire. Elle nous institue bergers des multiplicités. Elle nous dicte de protéger, de respecter, de ne jamais émonder, raboter ni rabattre les possibles disparates, forêt primitive ou bibliothèque de Babel.

Une des rares idées, bonne parce que simple, générale et non casuistique, émise au sujet des rapports de la science à l'éthique, nous vient de Poincaré, le mathématicien. Nul ne peut tirer, disait-il, de précepte à l'impératif d'un savoir qui explique ou décrit et donc se rédige à l'indicatif. Qui dit ce qui est ne peut induire de là ce qui devait être. Ce mur, séparant le moraliste ou le juriste du savant, n'a pas bougé depuis sa construction. Il se fissure ce matin.

Dans la classification des êtres et des choses, les éléments de la génétique dont nous nous occupons comptent donc dans la classe des possibles. Êtres, certes, mais encore en puissance, comme on disait jadis ; autrement dit virtuels, potentiels, certains d'entre eux même irréels, balayés en foule avant que de naître, éliminés, n'accédant jamais à l'être, passant de possible à rien. La science qui en parle les explique et les décrit : comme tout autre savoir, elle se rédige aussi, que je sache, à l'indicatif. Mais nous la lisons au conditionnel. Toutes les questions que nous nous posons ici tiennent subtilement aux mille et une conditions qui interviennent avant que et pour que cette cellule, par exemple, émerge sur le théâtre nouveau du phénotype, passant ainsi à la classe actuelle des êtres et des choses. Or, si l'impératif ne peut venir de l'indicatif, le conditionnel le ramène. Le mur s'écroule et nous nous rencontrons pour la première fois, savants et philosophes.

Les possibles tendent à l'existence, le génome vient au développement. Pour qu'ait lieu une telle émergence, il faut remplir certaines conditions, il faut satisfaire à telles exigences. Il faut, je l'ai dit ; je dirai bientôt il suffit.

Un impératif se lève qui annonce une morale.

Le principe de Poincaré, pour la première fois de l'histoire, se trouve en échec. Les savants se réveillent moralistes.

Ce deuxième point touche à l'éthique de la connaissance. Non point au sens où la décision de connaître devient un choix de vie, mais au sens où les lumières projetées sur un processus risquent d'en soustraire des possibles. Prédire dans des sciences où le temps se réduit à un déplacement laisse inchangé le monde où on prédit. Prédire dans des sciences où le temps fait l'être même de l'objet décrit et du processus où a lieu la prédiction ne laisse pas le monde inchangé. *Dans le nouveau monde du possible, connaître fait déjà intervenir. Connaître les possibles avant le choix n'a plus rien à voir avec le monde où ils choisissaient aveuglément, avec nous et sans nous, avec nos gestes et sans notre savoir. L'éthique de la connaissance naît, du coup la morale ne dépend plus des applications de la science mais elle l'accompagne dans chacun de ses gestes et de ses avancées, dans sa conduite spéculative. Le biologiste, le médecin deviennent moralistes quand connaître équivaut à choisir.*

Le troisième domaine de l'éthique cerne le passage des possibles à l'existence. Décision divine à l'âge classique, mécanisme naturel aveugle laissé à la nature ou au temps depuis Darwin, responsabilité à nous confiée de manière croissante depuis que nous intervenons dans le monde, depuis que nous parlons sans doute, mais poids soudain accru depuis que nous avons dans nos mains les possibles. Sur ce point nous ne différons plus, philosophes, savants, juristes ou politiques. Entrés dans le vieux conseil de Dieu ou l'ensemencement de la nature, nous risquons demain de décider du meilleur monde. Or nous ignorons ce meilleur, nous ne savons même pas comment le penser. Nous savons seulement, par référence à la première règle, qu'il ne doit pas devenir unitaire. Et que nul ne doit tenir de poste d'où il puisse décider de manière large ou globale de la production ou de la définition de l'homme.

Un pays qui s'honore d'avoir aboli la peine de mort peut entendre de ses philosophes pourquoi il a fallu en décider ainsi.
Une des croix de la philosophie depuis qu'elle

médite consiste en la définition de l'homme. Jamais description proposée ne la satisfit, ni précise ni correcte, controversée : l'homme ne s'accorde pas sur l'homme, sans doute a-t-il du mal à l'accepter pour tel.

Nous n'avons besoin cependant d'énoncé ni formel ni abstrait pour le reconnaître ; qui s'avance malade, souffrant, défiguré de naissance ou de douleur, vers le médecin, l'infirmier, le savant de la vie, le passant du chemin, a, par sa peine, qualité d'homme. Reconnu pour tel, désigné comme tel parce que la condamnation à mort usuelle, notre partage et notre condition, peut s'avancer soudain pour lui à une heure précoce. Qu'est-ce que l'homme ? Je ne sais mais le voici. Voici le condamné à mort qui va mourir à l'aube. Voici derrière lui, effacé désormais par nos lois, celui dont l'exécution s'avance par les décrets secrets de la nature ou du hasard. Malade, il va mourir : ecce homo. *Nous n'avons jamais eu besoin de grande philosophie pour reconnaître dans le condamné à mort désigné par le pouvoir des hommes, romain ou autre, l'homme même. Nous n'avons pas besoin de philosophie pour reconnaître aussi le condamné par un pouvoir qui nous dépasse et que nous étudions tous les jours pour le tenir à notre mesure.* Ecce homo. *Mais encore. Derrière qui ne souffre que de maladie curable ou de stérilité réparable dans nos pays repus et saturés, se profilent les innombrables populations, africaines, asiatiques, américaines du Centre ou du Sud, dénutries, couvertes des pires maladies, en proie au vertige démographique, abandonnées de nous et condamnées à mort en bloc pendant que nous nous évertuons à bâtir d'égoïstes morales ou des concepts éthiques raffinés. La peine de mort s'avance pour eux à ce jour.* Ecce homo. *Nous avons aboli un archaïsme dans le droit pénal, peut-on le supprimer pour la peine du plus grand nombre ? Apparaît dans cette foule, devant nous, l'homme même, l'humanité, dans notre langue, signifiant la compassion aussi.*

Nous qui souffrons si peu, alourdis de drogues, nous qui n'avons plus faim, nous dont la science tutélaire diffère sans cesse le jour de la mort, pouvons-nous encore prétendre à ce titre d'hommes ?

Michel SERRES

I

ENTRE L'ENCLUME
ET LE MARTEAU

> *Fais en sorte que tes maximes soient*
> *telles que tu puisses en accepter toutes*
> *les conséquences.*
>
> Kant

La biologie est à la mode. Elle fascine et elle inquiète à la fois, comme la physique d'il y a un demi-siècle ; mais la physique atomique menaçait et continue de menacer les peuples, alors que la biologie médicale ne concernerait que les individus qu'elle soigne. On ignore encore si l'assistance prêtée par la médecine aux couples stériles peut modifier l'enfant conçu en laboratoire par rapport à tous les autres conçus dans un lit, ou dans un escalier. Risquons que personne ne saura découvrir une différence quand bien même un prix Nobel aurait offert sa semence qui n'est rien d'autre qu'une semence de vieillard. Risquons que l'enfant restera indemne de la caution institutionnelle apportée à des déviations obligées : celle de l'adultère par bocal interposé quand papa n'est pas le père, comme pour l'insémination avec donneur, ou celle de l'autonomie éjaculatoire quand maman était absente au moment décisif, comme pour la fécondation *in vitro*. Tant qu'on ne s'attaquera pas à l'identité de l'œuf ou à la production massive d'êtres semblables entre eux, les enfants issus de la procréation assistée devraient bien ressembler aux enfants du hasard. Mais la seule rumeur autour de ces « enfants de la science » influencera autant qu'eux-mêmes leurs contemporains nés de façon traditionnelle.

Pour des esprits résolument modernes, il serait rentable de remplacer les méthodes archaïques de procréation par le système « CVI » (congélation-vasectomie-insémination) : il s'agirait de stériliser systématiquement les hommes pubères, après avoir recueilli leur semence et l'avoir conditionnée en échantillons, conservés dans l'azote liquide ; quand se manifesterait un désir de procréation, on procéderait à l'insémination du partenaire féminin avec le sperme congelé. On imagine tous les avantages de ce système, en particulier la suppression intégrale de la contraception (visites médicales, traitements, contrôles, complications éventuelles) et, pourvu que les semences soient conservées dans une banque d'État, l'avenir radieux de la planification des naissances.

A peine la sexualité « normale » a-t-elle été séparée de la procréation par la contraception qu'elle peut en être exclue par la FIVÈTE (fécondation *in vitro* et transfert d'embryon), et rien de tout cela n'est innocent. Surtout, la FIVÈTE a justifié l'extraction de l'œuf hors du corps et, en le rendant disponible aux outils du chercheur, elle prépare les esprits à craindre, puis à admettre, et enfin à demander que cet œuf soit soumis à de nouvelles manipulations. Dans le domaine sensible de nos conventions sexuelles, la modification induite par les résultats de la recherche est source d'émotion : le premier frisson est celui du malaise qui mêle déjà à l'angoisse un zeste de plaisir incontrôlé car le sexe est peut-être encore plus présent quand sa fonction est détournée, car tout nouveau pouvoir acquis par l'homme est une récompense pour l'homme. Ensuite, l'accoutumance allant de pair avec la vérification, l'angoisse se retire progressivement tandis que persiste pour quelque temps encore l'émotion ambiguë du spectacle d'une technique triomphante qui ne fait plus vraiment peur : du plaisir du frisson au frisson de plaisir.

Le désir ne se nourrit que de l'insatisfait. Alors on ne peut éviter de répéter certaines évidences. Tel couple est porteur d'un souhait d'enfant[1] qu'on a quelque chance de résoudre moyennant des techniques sophistiquées et de coût élevé. Que serait devenu le désir de ce couple si les techniques compétentes n'existaient pas ? Comme il est souvent arrivé depuis toujours le désir aurait pu être sublimé d'une façon ou d'une autre ; dérivé vers le bonheur d'un enfant déjà né ou seulement vers celui d'un chien, ou encore noyé dans la lecture, les voyages, la création artistique... Ne négligeons pas la trace douloureuse du désir détourné, mais pourquoi la comparer toujours à l'apaisement que la science a su apporter pour quelques chanceux ? Pourquoi oublier la douleur des couples stériles beaucoup plus nombreux, pour qui le même projet, résistant à la technique,

---

1. On disait il y a peu de ces couples qu'ils sont stériles, comme de certains pays qu'ils sont sous-développés. Mieux que « pays en voie de développement » l'expression couple « en quête » ou présentant « un désir » d'enfant objectivise le symptôme sans faire illusion sur sa guérison.

ne fut qu'une occasion d'éprouver les aléas de la statistique, ceux chez qui le désir fut éveillé par le bruit du progrès au moment de s'assoupir et qui, à l'issue de toutes les souffrances du corps et de l'esprit, ont connu le vide inéluctable de l'échec. Comparons une cicatrice avec une plaie vive dont on sépare sans cesse les lèvres avec les écarteurs d'une science relative. Imaginons que dans cinq ans, la chose est vraisemblable, on sache concevoir l'enfant du sexe désiré en mariant dans un tube tel spermatozoïde avec l'ovule asexué ou encore en sélectionnant l'œuf issu de cette rencontre. Comptons bien sur les médias pour faire applaudir ce nouvel exploit dont la justification, l'alibi thérapeutique, serait d'éviter, dans quelques cas documentés, la naissance d'un enfant porteur d'une anomalie liée au sexe. Le désir ne se nourrit que de l'insatisfait. Très vite se presseront d'autres couples derrière l'éprouvette, ceux qui ont déjà cinq filles et ceux qui refusent un garçon. Que dire de la demande de ceux-là ?

On dirait aujourd'hui qu'elle est de l'ordre du confort. Pourtant la souffrance est toujours authentique, et cette détresse d'insatisfaction peut bien être aussi grande, aussi profondément humaine que celle d'une mère qui, à cinq mille kilomètres de là, caresse la tête énorme de son enfant affamé. Alors il faudra bien compter avec l'équilibre psychique des parents comme avec les meilleures chances offertes pour l'épanouissement de l'enfant. Qu'est-ce qu'une « demande de confort » quand, l'artifice devenant possible, la technique sécrète du désir qu'on n'aurait pas osé imaginer ? Cette science qui soulage beaucoup des anciennes misères nous prépare à en souffrir de nouvelles sans jamais nous garantir la guérison des unes et des autres.

Faut-il se féliciter d'avoir introduit la FIVÈTE sur le marché de la médecine ? La réponse est d'abord dans la joie des parents qui, à l'issue des épreuves d'un parcours thérapeutique impuissant, ont découvert dans l'arrondi d'un ventre qu'ils devenaient trois. Et que ce troisième n'est déjà plus la « chose » des spécialistes : échappé d'une odyssée où se mêlaient seringues, hormones, bistouris, tubes et liquides artificiels, il est seulement leur enfant. On doit pourtant dire aussi que la FIVÈTE crée ou aggrave certaines misères, en particulier celle des couples pour lesquels l'échec persiste malgré le renouvellement des tentatives : il y a quelque chose d'immoral dans l'expression statistique des succès.

Autant de variantes possibles grâce aux techniques de procréation assistée, autant d'identités imprévues pour l'enfant, autant de modes imprévisibles de vivre ces identités. Certains pensent qu'il est juste qu'une amie offre son ovule, un cousin son spermatozoïde, ou une sœur son utérus pour la construction d'un œuf convivial. Que ne le font-ils dans l'intimité de l'artisanat plutôt qu'en proposer un système. L'inquiétude éthique est concomitante de la caution institutionnelle.

On peut croire que l'amour, plutôt que la sexualité, est la belle raison qui justifie que naissent, depuis toujours, des enfants. Ceux-là en seraient la preuve exemplaire qui font appel aux tuyaux, bistouris, boîtes et liquides nutritifs, qui demandent l'asepsie sexuelle. Mais l'amour n'est procréateur que parce qu'il induit la sexualité. On voit venir le temps moral de la dissociation : je t'aime et te donne un enfant sans attouchement, je te désire et te fais un enfant sans t'aimer ; seule la seconde hypothèse était jusqu'ici possible. Assumons d'écrire pour le futur. Chacun sait bien que sa propre personne est celle qu'il aime le mieux, qu'il désire le plus ; si l'enfant est un capital affectif et narcissique, le fantasme le mieux dissimulé est celui du clonage : je m'aime et me fais enfant, je vais naître cette fois de mon propre sang, sous mes propres yeux, je vais naître et vivre de l'amour de moi... Il se pourrait qu'à trop vouloir pousser le fantasme à bout, à bout de désir, à bout de corps, on aborde au comble de la sexualité, et qu'on découvre qu'elle n'a pas de sexe.

Le chercheur impliqué dans une recette d'application immédiate est en prise directe avec la réalité de confort et de désarroi qu'il est en voie de créer. Je reste impuissant à évaluer la part respective de l'un et de l'autre à l'occasion de la FIVÈTE ou de la congélation de l'œuf. Mais je distingue clairement le chemin des nouvelles victoires, des nouveaux applaudissements, des nouvelles inquiétudes. C'est celui qui passe par l'établissement de la carte d'identité de l'œuf fécondé (voir p. 131). Chemin policier pour une société policée, comble de la transparence. La recherche de transparence est cet appétit naïf pour réduire les mystères indispensables. Déjà, nous avons accepté de délivrer les gamètes et l'œuf des ténèbres du dedans du corps. L'ovule était caché et le restait en devenant embryon et la semence ne se voyait pas, même au moment de transiter d'un corps dans l'autre.

Voyez les instruments grâce auxquels on assiste

la procréation de l'homme moderne. D'abord le réceptacle où suinte la semence, cylindre large comme le pouce et long comme la main, dont l'antichambre considérable est bordée d'une frange vulvaire. Le calice pour l'offrande virile est-il un négatif phallique ou un moulage vaginal ? Puis vient le tube où marier les gamètes. Le tube est frêle et long, sans détours ; la langue anglaise, celle de Louise Brown, utilise le même mot « tube » pour désigner la trompe utérine et l'éprouvette. Le tube est situé dans l'enceinte chaude, ventre qui, ailleurs, abrite les bébés prématurés. Quand s'achève l'épopée des cellules déléguées à la procréation les larges mains du spéculum distendent le sexe féminin et l'œuf est poussé vers la matrice grâce au fin cathéter. Celui-ci mime le méat long du phallus émusculé ; le muscle délègue à la seringue sa fonction éjaculatoire. Les instruments ont une marque commune, ils sont à parois minces et transparentes. Le réceptacle, l'éprouvette, l'incubateur et le cathéter sont seulement des limites convenues, dessinées dans l'espace autour de cavités variées ; des cavités qu'on nomme aussi « lumières ». Les germes de l'homme mâle et de l'homme femelle aujourd'hui transitent dans les vases de lumière. L'œuf aussi est transparent.

Voyez ces instruments et admirez la nature qui conçut des organes d'usage semblable. Voyez bien ces prothèses, qui deviennent organes et admirez l'homme qui fait de l'organe un instrument. Imaginez que, par insertion progressive, l'instrument se greffe dans l'évolution de l'espèce, que s'installe la prothèse des objets symboles. Que restera-t-il du fantasme s'il est relayé par l'outil ?

Comme je demandais à un homme noir et

simple pourquoi cette réticence des Noirs à émet-
tre leur sperme dans un flacon, il répondit :
« Nous les Africains, nous avons besoin de
l'obscurité. » Je crois que la mémoire de chaque
homme se construit surtout de ces instants où le
dos s'appuie sur la vérité tandis que le regard
rencontre les fictions possibles. L'homme est de la
pénombre même s'il prétend à la clarté ; alors il
faut combattre l'obscurantisme en ménageant des
obscurités. Le lit de la science ne doit pas
prétendre à l'asepsie, on doit y retrouver des idées
reliques, poils, débris de peau, traces de sueur et
de sperme séché. L'ordinateur nous menace qui
efface ces marques vivantes de la vie et l'indiscutable exactitude du langage technique est aussi
menace de barbarie si la pensée est identifiée à un
dispositif. L'exacte vérité est toujours une
approximation de la réalité ; rendre compte d'un
phénomène avec exactitude c'est l'isoler du
contexte qui le justifie et la vérité n'est que le plus
froid parmi les messages possibles. On sait bien
que chaque vérité est seconde de quelques vérités
premières, c'est sur celles-là qu'il faut s'entendre
pour savourer sans scrupules l'actualité du vrai.

Nous avons extrait les gamètes et leur produit
œuf des ventres opaques, nous pouvons les aper-
cevoir, les toucher, mais nous ne les connaissons
pas encore. Même né dans l'éprouvette, l'œuf
conserve les mystères enveloppés dans ses ron-
deurs banales, il reste le produit d'un mariage
aventureux et unique. Par l'artifice de la
FIVÈTE, nous avons seulement autorisé la rencontre de cellules naïves en créant des chemins
détournés, puis nous avons rendu l'œuf mysté-
rieux au mystère de la matrice. La proposition qui
monte, d'un contrôle préalable d'identité, est

d'une nature neuve et sournoise. Mesdames et messieurs les géniteurs, la FIVÈTE va bientôt vous offrir des œufs à la carte avec sexe et conformité aux normes garanties par le laboratoire. Encore un peu de progrès et vos petits seront choisis comme au chenil, couleur du poil et longueur des pattes, aptitude à la santé et forme des oreilles.

Alors la FIVÈTE ne sera plus seulement une recette contre la stérilité mais un mode privilégié d'accéder dès la conception à l'identité de l'enfant, un levier pour la transparence à l'origine. Ce n'est pas le sacrifice d'œufs éventuellement innombrables qui me tracasse ; plutôt cette perspective folle de l'enfant « clés en main » dont la venue sera nécessairement occasion de déception. Certains s'inquiéteront de la banalisation de l'avortement s'il devient possible *in vitro*, car il n'y a pas de choix sans exclusion. D'autres craindront un déséquilibre démographique à l'avantage, encore, du mâle mais les enquêtes sont déjà réalisées (!) qui peuvent rassurer. Plus grave me semble être l'inflation désespérée de la demande d'assurance contre le hasard ; plus grave aussi la réduction d'autonomie par le recours permanent à la médicalisation. C'est déjà le goût voyeur de la transparence qu'a exploité l'échographie fœtale en permettant la prédiction quelques mois à l'avance du sexe d'un bébé. Il y eut un enthousiasme massif des femmes enceintes, lequel semble actuellement en régression puisque beaucoup d'entre elles demandent à ne pas savoir. Cette réaction rassure sur l'aptitude humaine à jouir au plus long temps du mystère, mais elle ne doit pas faire illusion. Tandis que le verdict porté sur le sexe fœtal a pour seule conséquence pratique le choix de la couleur de la layette, le verdict sur le sexe de l'œuf permettra de dire si l'œuf est acceptable ; surtout, la recherche, par des géniteurs fertiles mais inquiets, de la transparence à l'origine les amènera à recourir à la solution de la FIVÈTE. Qu'on ne s'imagine pas que la sélection opérée par le corps médical permettrait de réfuter systématiquement ces patients potentiels mais non stériles. Ce serait nier l'évidence que déjà des bébés sont conçus naturellement entre le moment d'inscription sur les listes d'attente pour FIVÈTE et celui de l'intervention biomédicale. Qu'on ne s'imagine pas que la carte d'identité de l'œuf puisse être refusée aux géniteurs si on devient capable de l'établir. Ce serait oublier l'inflation des droits, admis comme légitimes, de garantie contre les risques. Surtout ce serait oublier que la mesure objective de la détresse n'existera jamais. Je crois que la souffrance viendra aussi de voir naître un enfant du sexe qu'on ne souhaitait pas ; et que cette souffrance ne sera pas moins considérable que celle des couples qui, aujourd'hui, sont empêchés de procréer. Des psychiatres pourront justement témoigner des dangers encourus pour l'équilibre du couple et le devenir de l'enfant si les demandeurs sont frustrés de l'aide technique qu'ils revendiquent, si leurs désirs stimulés par le possible sont reniés par l'institution.

On peut aider à la venue de l'enfant non spécifié, cet enfant encore majoritaire qui heureusement vient le plus souvent sans l'aide des blouses blanches. Le danger, le gouffre pour le devenir du primate savant, est dans la calibration individuelle de sa procréation.

Il nous reste quelques années heureuses avant d'être capables de manipuler le génome humain, mais on sait déjà établir la carte génétique qui est la véritable carte d'identité ; on sait aussi reconnaître de plus en plus tôt les futurs indésirables, porteurs d'écarts irréversibles à la norme. En toute logique certains souhaitent généraliser ces diagnostics pour contredire des mariages ou éviter des naissances car il y va, paraît-il, de la qualité d'une société moderne. Puisque, pour les tares les plus importantes, l'élimination du fœtus est déjà pratiquée, une fois encore la définition d'un seuil se pose, celui qui fait que l'homme devient intolérable pour l'homme.

On l'a dit, l'enjeu immédiat et grandiose pour les méthodes de procréation assistée passe par les techniques identitaires. Je crois que le moment est venu de faire une pause, c'est le moment d'autolimitation du chercheur. Le chercheur n'est pas l'exécuteur de tout projet naissant dans la logique propre de la technique. Placé au creuset de la spirale des possibles il devine avant quiconque où va la courbe, ce qu'elle vient apaiser, mais aussi ce qu'elle vient trancher, censurer, renier. Moi, « chercheur en procréation assistée », j'ai décidé d'arrêter. Non pas la recherche pour mieux faire ce que nous faisons déjà, mais celle qui œuvre à un changement radical de la personne humaine là où la médecine procréative rejoint la médecine prédictive. Que les fanatiques de l'artifice se tranquillisent, les chercheurs sont nombreux et j'ai conscience, sur ce point, d'être isolé. Que les hommes inquiets, ceux qu'on nommait « humanistes » et qu'on dit aujourd'hui « nostalgiques », s'interrogent. Qu'ils le fassent vite.

Décidant de ne pas œuvrer dans les techniques

identitaires, je n'ai pas eu à demander un avis aux
comités d'éthique ; mais d'autres qui s'emparent
du grand sujet tout neuf le font aussi sans avoir
rien demandé. Je sais le danger d'une perte de
prestige pour mon laboratoire. On existe moins si
on n'avance pas devant ou avec ses confrères. La
recherche scientifique a sa propre logique qui ne
doit pas se confondre avec la dynamique aveugle
du progrès. La logique de la recherche s'applique
même à ce qui est encore privé de l'odeur du
progrès mais on peut ne pas l'appliquer à ce qui a
déjà le goût d'un énorme danger pour l'homme.
Je revendique aussi une logique de la non-
découverte, une éthique de la non-recherche.
Qu'on cesse de faire semblant de croire que la
recherche serait neutre, seules ses applications
étant qualifiées de bonnes ou mauvaises. Qu'on
démontre qu'une seule fois une découverte n'a pas
été appliquée alors qu'elle correspondait à un
besoin préexistant ou créé par elle-même. C'est
bien en amont de la découverte qu'il faut opérer
les choix éthiques.

Au Congrès international de Vienne sur la
FIVÈTE, en avril 1986, de nombreux embryolo-
gistes étaient sollicités de présenter l'état de leurs
travaux chez l'animal. Parmi eux S. M. Willadsen
qui, après avoir fabriqué des chimères chèvre-
mouton en fusionnant les embryons des deux
espèces, vient d'obtenir trois agneaux par la
technique du clonage. Il commence ainsi son
exposé : « J'ai lu récemment la déclaration d'une
commission de médecins de la CEE impliqués
dans la FIVÈTE et mettant en garde contre des
manipulations abusives de l'œuf humain ; en
particulier le clonage y est fermement condamné.
Alors je voudrais vous poser une question :

" Pourquoi m'avez-vous demandé de venir ici faire cet exposé ? "... » Willadsen est un provocateur. Il y a quelques années, il avait lancé dans une discussion scientifique : « Donnez-moi un œuf de souris et un œuf humain, si je le veux je vous fabrique une chimère... » Le microcosme des fiveteurs en mal de premières a besoin de provocateurs. Ils révèlent le non-dit du discours officiel à label scientifique, ils disent qu'ici cela sent le soufre quand tous les autres se bouchent le nez.

Prétendre à une éthique de la non-recherche, c'est refuser la conception simpliste du bien-fondé d'un enchaînement automatique des recettes. C'est aussi le projet ambitieux de comprendre ce qu'on a déjà fait et une tentative pour théoriser ce qu'on doit faire encore. C'est donc ressentir la nécessité comme charnelle de participer à une réflexion multidisciplinaire sur le sens de la production scientifique.

II

DE L'ÉPROUVETTE
AU BÉBÉ-SPECTACLE
OU LA VÉRITABLE
PRÉHISTOIRE D'AMANDINE

> *Travaillant pour le néant, tous nous ressemblons plus ou moins à ces insectes qui, mus par l'instinct stupide, s'obstinent à déposer leur ponte dans des nids éventrés.*
>
> Jean Rostand,
> *Pensées d'un biologiste*

Une recherche scientifique donne rarement lieu à une apparition publique aussi spectaculaire que celle qu'a connue la France à l'occasion de la naissance du premier « bébé-éprouvette ». Disons immédiatement que cette reconnaissance, orchestrée par les médias, était bien au-dessus de la performance si on considère que des milliers de chercheurs tout aussi méritants ne sortiront jamais de l'ombre des cénacles spécialisés. Il s'agissait donc de la reconnaissance d'un événement social plutôt que d'un événement scientifique et si la confusion persiste, c'est qu'elle ne dessert aucun des protagonistes.

Le résultat de cette recherche a pu accéder au statut de spectacle parce qu'il concerne la vie quotidienne (la santé), remet en cause des valeurs simples mais solides (la façon de se reproduire) et questionne la sécurité et peut-être les désirs de chacun (les déviations possibles de la méthode).

Mais pour qu'il y ait spectacle, il faut d'abord que la recherche commence, puis qu'elle aboutisse. Dans le cas de la fécondation *in vitro* et transfert d'embryon (FIVÈTE), les préparatifs de la naissance d'Amandine ont duré trois années — seulement trois années (l'expérience acquise chez l'animal fut d'une aide considérable — mais trois années d'efforts incessants : le scénario mis au point un peu plus tôt par une équipe anglaise nous restait inaccessible.

Ambitieux, ce projet devait bien être à la mesure de l'ambition de ses initiateurs : faire de la recherche pour trouver, trouver quelque chose qui ait un impact important et bénéficier directement de cet impact. Mais le projet avait une « couverture » médicale : rendre possible la procréation chez des couples considérés comme définitivement stériles. Certains des couples pionniers qui, en prêtant leur corps, ont permis que la recherche aboutisse, n'étaient pas dupes de cette couverture mais ont, malgré les échecs, éprouvé de réelles satisfactions (participation à l' « aventure du progrès » ou bonne conscience d'avoir essayé ça). La formule « bébé-spectacle » ne recouvre qu'une partie des motivations et comportements des divers individus impliqués, à un titre ou à un autre, dans l'apparition publique de l'innovation médicale. Une partie seulement : il reste chez les professionnels la pratique quotidienne du métier, et chez leurs patients celle de la douleur.

Au moment où le succès devient imminent

apparaît la presse, qui va animer le spectacle démocratique en célébrant les « savants » et en tirant des sonnettes d'alarme qui font un bruit de chasse d'eau. L'institution n'intervient qu'après la première, créant des postes statutaires, rénovant ses comités d'éthique et décernant des médailles. Des couples qui avaient presque oublié leur stérilité retrouvent de vieux désirs d'enfanter et s'inscrivent sur des listes d'attente vite saturées. Le monde médical, public et privé, sécrète des imitateurs dans chaque sous-préfecture pour impulser des centres supposés spécialisés en FIVÈTE.

Des discussions commencent ici et là, mais seulement sur l'après-FIVÈTE, car la FIVÈTE, version primaire et familiale, a convaincu largement dès sa première représentation. Les indications médicales s'élargissent avec les succès croissants : la méthode pourrait devenir plus performante que la procréation naturelle, qui risquerait alors de n'être plus pratiquée que par les écologistes. On ne peut plus couper les ailes de la FIVÈTE. Un jour commencera l'analyse du coût social et iatrogène de la FIVÈTE et de ses petits, qui sont déjà dans l'œuf.

Il y a quinze ans, je m'occupais à engrosser par force de méfiantes femelles bovines, au moyen d'une catapulte propulsant dans l'utérus des pauvres bêtes des embryons qu'elles ne connaissaient ni d'Ève ni d'Adam. Un jour que j'avais mis ma catapulte au vestiaire, je parcourus un traité du Collège de pataphysique et, dès le lendemain, mon outil se dénom-

mait « pataculte » tandis que j'écrivais sur la porte
de mon bureau : « J. T., pataculteur ».

Plus récemment, mon activité de recherche sur
la FIVÈTE m'a amené à écrire sur la porte de
mon nouveau bureau : « J. T., Éprouveur-Inventreur ».

Ces deux inscriptions n'ont amusé presque
personne, ce qui m'a attristé, et la seconde m'a
valu quelques remarques désobligeantes, ce qui
m'a appris qu'on ne plaisantait pas avec la
recherche, qui est l'unique mamelle de la science,
laquelle doit être prise exclusivement au sérieux.
La chose est, bien sûr, plus grave quand la
recherche aborde la santé des hommes et des
femmes : alors elle devient mission et, s'il y a
passion, c'est seulement celle de servir. Ainsi vont
les images d'Épinal. Veut-on m'obliger à faire
croire que ce métier que j'aime, je lui donne tant
dans le but essentiel de soulager la misère
humaine ? Sait-on pourquoi on devient chercheur,
ou médecin, ou patient ?

LE TEMPS DES BÊTES

Dès mon plus jeune âge, j'étais passionné par
les animaux, mais mon attention allait aux
lézards, chardonnerets ou araignées plutôt qu'aux
vaches, cochons ou lapins que je découvris plus
tard, quand j'ai été impliqué, chercheur solitaire,
dans ce qui allait devenir une des grandes réus-
sites de l'INRA (Institut national de la recherche
agronomique) : la transplantation d'embryons
chez les bovins. Il s'agit de faire produire de
nombreux ovules par une vache de haute qualité
génétique, inséminée avec le sperme d'un taureau

sélectionné. Quand plusieurs embryons sont développés (après quelques jours) ils sont recueillis par lavage de l'utérus. Il ne reste plus qu'à les distribuer individuellement dans l'utérus de plusieurs autres vaches, de qualité ordinaire, qui jouent le rôle de « porteuses » jusqu'à la naissance de veaux de qualité exceptionnelle. Pour des raisons médicales, la même méthode vient d'être appliquée à l'espèce humaine.

La fréquentation des bêtes domestiques me révéla ce qui continuait de me séduire chez chaque sorte de bête sauvage : cette façon spécifique d'exister sans jamais se laisser réduire. Je réalisai en même temps que la sélection, pour l'usage humain de variétés plus conformes à nos besoins, est une activité tératogène qui, longtemps artisanale, venait de passer au stade industriel. Pourtant notre impuissance persiste à maîtriser la nature : chaque gène « utile » ajouté au capital originel semble contredire l'expression d'une autre fonction, garante de la liberté ancestrale. Ainsi ces bovins des temps modernes, façonnés sur ordinateur, seraient incapables de survivre en dehors de l'environnement sophistiqué que calcule le même ordinateur. Les bricolages génétiques, à l'occasion de croisements « amélioratifs », peuvent léser des fonctions vitales comme la reproduction. Alors, dans leur aveuglement naïf, les scientistes recourent à des techniques d'avant-garde qui devraient permettre la correction du défaut. En 1976, j'ai été appelé par une coopérative d'élevage du Sud-Ouest pour appliquer la méthode de transfert d'embryons à de magnifiques vaches blondes, issues de croisements savants et qui refusaient de se reproduire comme des vaches ordinaires. Un protocole lourd avait été décidé pour collecter les jeunes embryons, porteurs des qualités maternelles et les transformer en veaux exceptionnels dans l'utérus de femelles banales. C'est après plusieurs jours sur le terrain qu'il a fallu admettre que la stérilité de la nouvelle souche ne relevait pas de cette thérapeutique puisque ces femelles, qui n'ovulaient pas, ne produisaient pas d'embryons. La mystique du progrès va ainsi jusqu'à admettre implicitement qu'une harmonie préside au rythme des découvertes, lesquelles, à chaque moment du développement des artifices, constitueraient un registre cohérent, pour le plus grand bien de l'homme civilisé. Les gens de métier supposent, comme une évidence, qu'aussitôt que le veau perdra sa fonction digestive, on saura le faire croître en culture de cellules *in vitro*, ou bien que dès qu'il deviendra asexué, la reproduction par clonage sera au point.

On apprend pourtant que des espèces naturelles qui vivaient près de nous depuis des millénaires sont soudain menacées de disparition. Le processus commence seulement (pourquoi aujourd'hui ?) et pourrait bien être achevé avant la fin du siècle, sans aucune explication. Il en est ainsi d'espèces aussi différentes et aussi familières que les abeilles ou les sapins. Ce qui importe ici n'est pas le drame écologique, en particulier si les abeilles indispensables à la reproduction de la plupart des plantes à fleurs disparaissent (peut-être fabriquera-t-on alors des vecteurs de pollen mécaniques ?). Ce qui est stupéfiant, c'est notre dénuement, notre incapacité à comprendre et à réagir malgré notre bel édifice scientifique. On sait fabriquer un succédané de miel sans l'aide des abeilles et l'informatique pourrait économiser la pâte à papier. Mais on ne comprend pas pourquoi ces bêtes et ces plantes, qui survivaient là malgré leurs petites misères ancestrales, vont peut-être quitter cet univers ; et juste au moment où l'univers nous appartient comme jamais.

L'escalade du « progrès » n'est possible que parce que des spécialistes, de plus en plus isolés les uns des autres, ne prennent chacun à leur compte que le morceau de l'édifice qui leur revient.

La plupart des chercheurs peuvent être classés en deux familles : les ronds-de-cuir et les autres. Les premiers sont dociles, peu imaginatifs. Organisés dans leurs documents et leurs horaires, ils sont capables de poursuivre avec application le même protocole expérimental pendant plusieurs années jusqu'à ce que l'accumulation des résultats produise un tableau impeccable. Les autres ne sont pas fiables, ils vont et viennent en tous sens et s'accrochent aux idées les moins respectables comme s'ils ne s'amusaient que de l'impossible ; ils tentent leur chance par ici, s'évadent par là et ne supportent pas le poids d'une direction, même libérale. Je fus libre jusqu'à ce que j'aie réussi. L'odeur des premiers veaux nés de mères adoptives attira simultanément l'intérêt de l'administration et celui des professionnels de l'élevage. J'obtins un certain succès d'estime, je participai à un mini-spectacle dans la presse et, très vite, arriva la menace. Il fut décidé quelque part de prendre la chose au sérieux, c'est-à-dire d'introduire de nouveaux chercheurs, ce que je souhaitais depuis longtemps, mais surtout, vieille méthode des technocrates, de parachuter une

direction. Je connaissais bien le nouveau venu à
qui je dus tout apprendre de ma spécialité afin
qu'il me dirigeât ; c'était un monsieur charmant,
parfois drôle mais le charme fut rompu dès qu'il
m'adressa son premier conseil. Quelque temps
après mon départ, il écrivit une revue de synthèse
retraçant l'histoire de la transplantation embryonnaire ; cette histoire, en France, commençait avec
lui.

Puisqu'il me fallait quitter la recherche agronomique, je décidai de retourner aux sources en
opérant une reconversion professionnelle : j'étu-
dierais le comportement sexuel des animaux sauvages. J'obtins un rendez-vous avec un responsable de recherches en éthologie, spécialiste de
l'homosexualité chez les tourterelles. Nous eûmes
un échange de plus d'une heure durant lequel je
racontai certaines observations qui m'avaient
troublé. Ainsi il est très vraisemblable que chez
les bovins, la disproportion des organes sexuels
des deux sexes comme la rapidité du coït, interdisent l'orgasme de la vache. Pourtant, il est facile,
par la manipulation vaginale prolongée, d'exacer-
ber le comportement de rut chez la vache, jusqu'à
obtenir des réactions qui n'existent pas naturellement et qui pourraient bien s'apparenter à la
jouissance. D'où l'intérêt d'une analyse phylogé-
nique, utilisant des artifices appropriés pour une
exploitation maximale du potentiel anatomique
du plaisir. Le vieux monsieur me dit : « Tout cela
est intéressant mais vous êtes trop âgé pour
débuter des recherches sur le comportement. »
J'eus beau expliquer que, grâce à mes trente-six
ans, j'avais acquis un statut de fonctionnaire qui le
dispenserait de me payer, il resta ferme. Il me
fallut retourner à la physiologie de laboratoire,

comme le soldat retourne à la guerre ; parce que là
est ce qu'il sait faire.

UN MONDE NOUVEAU

Au début de 1977, je débarquais au Laboratoire
de physiologie et psychologie de la reproduction
humaine de l'hôpital Antoine-Béclère. Le nom de
ce laboratoire m'avait intrigué et je fus intéressé
d'apprendre que des psychanalystes y travail-
laient. Épuisé de technologie, las de la conquête
facile des chiffres, j'étais avide de regarder le fond
des choses, leurs dessous mauve et rose comme la
chair dans ses différents états. A la vérité statistique j'ai toujours préféré celle qu'on devine dans
certains regards transparents, dans les émotions
incontrôlées et les démarches déséquilibrées, dans
les hasards objectifs et les récits à cœur saignant.
J'aime quand l'intelligence, lasse de sa peau de
reptile, se laisse habiller du vieux velours des
songes. En combinant, autour des sexes, l'analyse
du réel et celle de la réalité, ce lieu pouvait être
propice à une approche humaine des physiologies.
Le directeur du laboratoire était aussi le chef du
service de gynécologie obstétrique ; j'avais connu
Émile Papiernik à l'occasion d'une recherche qu'il
avait menée sur l'immunologie des greffes chez le
lapin. Le Pr Papiernik me proposa le tutoiement
comme au temps des bêtes communes, mais je
m'en tins au « vous » pour ne pas abuser. J'avais
déjà remarqué qu'un professeur agrégé de médecine donne du « tu » à tous les médecins mais
qu'en retour il n'est tutoyé que par ses *alter ego*.
Ainsi les médecins hospitaliers partagent avec les
travailleurs émigrés le privilège d'être tutoyés par

leur patron, mais aucun argument culturel ne les autorise à utiliser le tutoiement en retour.

Papiernik est un spécialiste de la « qualité de la naissance », laquelle dépend aussi bien d'attitudes cliniques que de facteurs biologiques et psychologiques ; il souhaitait donc développer dans la maternité un secteur de recherches pluridisciplinaires.

L'activité essentielle du Laboratoire de physiologie consistait alors à effectuer l'analyse histologique et hormonale de prélèvements ovariens. Nouveau venu dans ce laboratoire, je devais ouvrir mon propre territoire car, comme les animaux, le chercheur a besoin d'un espace à protéger et qui le protège. Formé à la physiologie de la reproduction, et pas encore sénescent, je devinais des territoires quasiment vierges dans le champ médical ; le chercheur aime les chemins imaginaires, et sa liberté augmente avec l'ampleur de l'ignorance. Dans le domaine de la reproduction humaine un riche vocabulaire désigne les variantes pathologiques d'une physiologie supposée normale mais dont presque tout est ignoré. Ainsi le follicule ovarien, quand il atteint la taille mature, est appelé « kyste ». Certaines femmes doivent leur ménopause précoce à cette appellation péjorative car la « résection du kyste », à l'occasion d'une chirurgie abdominale (comme l'ablation de l'appendice), conduit à une perte importante du tissu ovarien. Une des conséquences positives de la FIVÈTE a été de révéler au corps médical l'aspect et la fonction du follicule ovarien. La difficulté des approches expérimentales dans l'espèce humaine mais aussi le tabou longtemps exercé sur la reproduction dans l'enseignement médical expliquent en partie ces carences ; le mépris des médecins pour les travaux des « vétérinaires » a fait le reste. Pourtant, l'homme est physiologiquement peu différent des autres mammifères et, si on veut bien se référer à l'acquis expérimental chez l'animal, il est facile de préciser (c'est-à-dire spécifier) certains aspects jusqu'alors négligés de la reproduction humaine. Je proposai d'équiper une petite pièce pour réaliser la culture *in vitro* de follicules ovariens. Le projet était de faire agir expérimentalement certaines hormones pour en observer les effets, en particulier sur l'ovocyte contenu dans le follicule cultivé. Les cliniciens apprécièrent ce projet : contrairement à l'analyse histologique et hormonale de tissus morts, il permettait de poursuivre, hors du corps, des observations sur un prélèvement demeuré vivant ; puisque la volonté d'expérimenter n'était pas la cause de l'ablation tissulaire mais sa conséquence, les contre-indications d'ordre éthique n'existaient pas.

La difficulté majeure était de disposer de « matériel » biologique en quantité suffisante, et d'origine fonctionnelle connue, mais cette difficulté s'estompait dès lors que plusieurs cliniciens trouvaient motif à collaborer assidûment. Non qu'ils tailladeraient alors gaillardement dans les ventres endormis pour en extraire organes et liquides vitaux, à usage de progrès médical, mais parce qu'ils destineraient à cette recherche des prélèvements habituellement détruits.

Le paradoxe des recherches en physiologie humaine est que, dès qu'une collaboration bien comprise assure l'approvisionnement en « matériel » biologique du laboratoire, le programme

peut être exécuté avec des moyens matériels
relativement réduits. Une recherche analogue
chez l'animal exige un budget considérable car,
pour établir le statut physiologique du prélèvement, les animaux doivent être placés longtemps
en observation préalable, ce qui suppose de gros
investissements en locaux, nourriture, soins et
personnel spécialisé. A l'hôpital, le service public
de la Santé prend en charge, et dans les meilleures
conditions, toutes les dépenses concernant les
patients, puisque l'indication d'hospitalisation est
strictement médicale et ignore le projet complémentaire du laboratoire de recherche. Si on ajoute
que, grâce au langage, le patient est capable
d'informer le chercheur sur l'histoire de son
corps, on admettra les multiples avantages du
sujet humain sur le sujet animal. Quand je
proposai ce projet, je n'imaginais pas encore que
l'humain eût, comme objet d'études scientifiques,
de telles vertus par rapport au bovin.

Pourtant les résultats de ces cultures de follicules ovariens sont restés parcellaires : à peine la
méthodologie fut-elle définie que s'annonçait un
projet substitutif, beaucoup plus ambitieux.

UN PROJET FOU

C'était au printemps 1978, quelques mois avant
la naissance de Louise Brown, l'ancêtre des
« bébés-éprouvette ». L'équipe britannique
(R. Edwards et P. Steptoe) s'était attaquée au
problème de la fécondation *in vitro* depuis une
dizaine d'années mais on ignorait encore que
Mrs Brown était enceinte de plusieurs mois.
Puisqu'on commençait à bien connaître le gamète

féminin et qu'on disposait d'un équipement pour la culture *in vitro*, il était possible de s'engager dans cette voie. C'est la proposition que me fit René Frydman, un jeune chef de clinique qui était devenu mon principal interlocuteur parmi les médecins du service et avec qui s'était établie une sorte de complicité, fruit d'une sympathie naturelle et d'une même façon ardente de concevoir la réalisation des idées.

Du temps où, militant trotskiste, j'approfondissais les principes de la révolution permanente, René s'éprenait de la stratégie maoïste d'encerclement des villes par les campagnes. Un ami commun nous mit en contact dès 1972, non pour confronter nos idéologies mais parce que René, jeune médecin en espadrilles, s'interrogeait déjà sur des méthodes mises au point en reproduction animale et susceptibles d'application en clinique humaine. Je ne me rappelle pas que nous ayons alors évoqué la fécondation externe mais seulement les techniques de collecte et de transfert d'embryons qui m'occupaient à ce moment-là. René posa beaucoup de questions puis, en homme pratique, s'en fut déçu, ces techniques paraissant alors difficilement applicables à l'espèce humaine. Nous ne nous sommes pas revus jusqu'à mon intégration au laboratoire de recherche de l'hôpital Antoine-Béclère cinq ans plus tard. René ne cachait pas son ambition de devenir maître de conférence agrégé. Il disposait de l'appui de Papiernik, qu'il secondait efficacement, mais cette promotion arriverait plus sûrement s'il justifiait, par des publications scientifiques de qualité, d'une importante activité de recherche. René avait largement contribué à mes premières expériences de culture des follicules ovariens mais il était clair que mes bricolages ne le satisfaisaient pas entièrement : pragmatique, il ne se contentait pas de participer à l'analyse de mécanismes physiologiques, il souhaitait s'impliquer dans une recherche susceptible d'applications en clinique gynécologique. Finalement, l'enjeu devait être à la mesure de son ambition et satisfaire aussi son principe d'utilité. Quelqu'un a dit « bébé-éprouvette » ?

Je convins d' « essayer » la fécondation externe, mais sur la pointe des pieds : j'éprouvais quelque crainte à abandonner l'expérimentation prometteuse sur les follicules au profit d'un projet hasardeux.

René m'avait choisi pour ce projet de faire du neuf qui soit aussi de l'utile. Il me savait disponible, volontaire et le plus compétent de son environnement. J'étais intéressé car je le savais tenace, organisateur, et le plus compétent de mon environnement. C'est ainsi que naissent les couples célèbres...

En convenant de ce projet, je savais confusément qu'on n'essaie pas le bébé-éprouvette, on l'adopte. Quand un projet quelconque résiste aux efforts du chercheur, il peut être discrètement abandonné, justement parce qu'il était quelconque. Là, il s'agissait d'autre chose ; il faudrait bien se mesurer jusqu'à l'épuisement à ce défi. Parce qu'il n'est pas quelconque de se reproduire sans copuler, ni de « faire » un enfant à un couple définitivement stérile et d'appliquer à l'homme une méthode encore non maîtrisée chez la plupart des animaux. René était optimiste, par nature et peut-être aussi par naïveté. Il n'avait pas, comme moi, assisté aux efforts infructueux de ceux, et des meilleurs, qui avaient échoué dans des tentatives similaires, chez plusieurs mammifères domestiques. Ainsi Charles Thibault, avec qui j'ai appris le métier de chercheur, fut le premier à réussir la fécondation *in vitro* chez un mammifère, il s'agissait du lapin, mais il dut attendre un quart de siècle avant de parvenir à féconder l'ovule bovin.

Et puis, quand bien même on parviendrait à féconder l'ovule humain hors du corps maternel, viendrait le moment de rendre l'embryon à l'utérus et là, je savais d'expérience que de nouvelles difficultés, peut-être les plus grandes, nous attendaient.

Papiernik était sceptique mais favorable à quelques tentatives; il participa aux premières interventions chirurgicales pour recueillir les ovules mûrs puis abandonna la totalité du terrain médical à René. Côté laboratoire, il y avait avec moi Alain, un jeune gynécologue qui eut la patience d'attendre un poste de chercheur durant plusieurs années, sans recevoir aucun salaire. Puis de bourse lasse, il s'en fut finalement exercer la gynécologie médicale. A ce moment vint Bruno, technicien rétribué au hasard de nos mendicités jusqu'à ce que la naissance d'Amandine le fasse accéder à un statut décent. Aussi bien sur le plan médical que sur le plan biologique, les pionniers britanniques représentaient notre référence immédiate, mais leurs publications scientifiques, rares et peu précises, étaient tout à fait insuffisantes pour répondre à nos questions. On demanda respectueusement à Edwards d'accepter notre visite et il répondit poliment que son laboratoire était si petit... Bref on était seuls. C'était certainement un handicap pour notre progression rapide vers le but clinique mais c'était l'occasion de découvrir des méthodes originales et j'avoue avoir dégusté cette solitude scientifique. On ne choisit pas ce métier pour recopier fidèlement les recettes déjà éprouvées par d'autres et, à tout prendre, le pionnier risque moins l'humiliation de la défaite.

LA GAMBERGE

Comme il n'était pas question de faire partager nos balbutiements techniques à des couples stériles, qui y auraient placé trop d'espoir, les gamètes de nos premiers essais provenaient de donneurs volontaires. Pour obtenir l'ovule mûr, il fallait déplacer dans le temps une intervention chirurgicale d'indication médicale (comme la ligature des trompes), jusqu'à la situer peu avant le moment de l'ovulation. Toutes les patientes sollicitées acceptaient de bon gré le traitement inducteur de l'ovulation et le prélèvement d'un ou plusieurs ovules, pour nous aider dans notre recherche. Pour les spermatozoïdes, il fallait disposer de donneurs de sperme, évidemment non rétribués. Je dois ici rendre hommage à quelques internes du service, mais ces médecins n'étant pas toujours présents ou disponibles, la plupart des contributions provenaient du laboratoire lui-même. Le laboratoire FIVÈTE comptait alors deux personnes, heureusement de sexe masculin : Alain, peu avare d'un sperme de qualité, et moi-même. Jamais nous n'avons fait défaut à un ovule solitaire et, de fil en aiguille, notre investissement dans la FIVÈTE fut total. Je sais que, par nécessité ou par orgueil, cette contribution intégrale fut expérimentée ailleurs ; Edwards qui est père de cinq filles a appris, pour avoir pratiqué des analyses chromosomiques d' « embryons expérimentaux », qu'il aurait aussi pu être père de garçons.

Et nous obtînmes « nos » premiers œufs fécondés. Je me souviens de cette émotion rare, quand le tube de culture ne contient plus seulement des gamètes, ces cellules versatiles qui ne valent guère plus que n'importe quelle cellule, mais que survient l'idée microscopique d'un enfant. Sa taille est, pour plusieurs jours, celle de l'ovule maternel, son aspect ne diffère absolument pas de celui d'un embryon animal du même âge, mais dans cette chose transparente, il y a l'aptitude au développement unique d'une personne humaine. Qu'on ne se méprenne pas, je suis persuadé que l'humanité n'arrive à l'œuf que plus tard, après l'établissement de la grossesse, première relation avec l'espèce mère. L'œuf-éprouvette est moins, infiniment moins qu'un enfant sauvage ; il n'est respectable qu'au travers du projet, extérieur à lui, d'en faire un enfant. Aussi l'œuf humain conçu « pour essayer », en réalisant dans un tube impasse le mariage biologique de cellules compétentes mais anonymes, celui-là, malgré l'assemblage unique de ses gènes, est hors l'humanité.

Pourtant de tels embryons expérimentaux m'ont fait gamberger. Parfois en me donnant la preuve irréfutable de ma fertilité[1], mais surtout en me procurant des émotions exceptionnelles et dérisoires à la fois, comme d'avoir réussi environ la

---

1. Les hommes, apparemment plus que les femmes, s'inquiètent souvent d'une possible erreur d'origine des gamètes mis en présence, à l'occasion de la FIVÈTE. En fait, aucun homme ne peut être aussi « garanti » dans sa paternité que celui qui a eu recours à la fécondation externe.

moitié d'un projet auquel je ne croyais qu'à demi, comme d'assumer le pouvoir pervers de réaliser, dans l'asepsie sexuelle, une sorte de coït clandestin entre deux personnes qui s'ignorent. Quand nous en fûmes à travailler en « grandeur réelle », avec des couples stériles à qui l'embryon devait être restitué, ces émotions préliminaires furent renvoyées à leur puérilité : en acquérant une fonction thérapeutique la fécondation *in vitro* réduisait notre espace ludique et développait des responsabilités. On peut intellectualiser à perte de temps sur la nature réelle, les droits ou le statut de l'œuf humain, cette chose inconnaissable qui gît, inerte, dans une solution synthétique. Il reste qu'un homme et surtout une femme ont souffert, longtemps et avec obstination, et ont le droit de considérer, déjà, l'œuf fécondé comme le début de leur enfant. Ce que des actes médicaux répétés n'ont pu réaliser pour ce couple, a commencé ici, au fond d'un tube qui devient aussi précieux qu'un berceau. La gamberge devant le tube, quand survient la preuve qu'il s'est passé « quelque chose » est le véritable salaire de l'éprouveur. Elle ne dure hélas, que le temps de s'accoutumer au succès, mais elle prit des allures d'obsession à l'époque où tout n'était qu'incertitude. Quand une tentative semblait favorable, dans la hâte de savoir, je retournais de nuit à l'hôpital, à l'heure présumée où le résultat se voit par la première division de l'œuf. J'ouvrais alors la porte du laboratoire selon des rites superstitieux absolument étrangers à l'éducation scientifique, mais symptomatiques de la personnalité inquiète du chercheur. Pour goûter plus longtemps mon exaltation, je me préparais un café à deux pas du tube qui me livrerait la vérité en noir et blanc. J'absorbais une ou deux gorgées brûlantes avant de pénétrer en salle de culture. Souvent, dans une dernière manœuvre pour retarder le verdict que j'étais venu chercher, je contemplais à l'œil nu le liquide rose en faisant tourner le tube entre mes doigts. Et soudain, avec avidité, j'observais, les yeux rivés dans les oculaires de la loupe.

Quand, dans le cercle lumineux, l'échec me narguait avec sa face de pleine lune, je restais désarmé par tant de malchance et mon humeur était aquise pour tout le jour ; j'expliquais alors aux collègues de rencontre que la FIV était une utopie épuisante avec laquelle je déciderais bientôt de rompre. Mais quand la petite boule se répartissait en quartiers homogènes, je m'étonnais d'avoir si facilement maîtrisé la nature. Seul avec cette chose vivante, dans la nuit finissante, j'ai souvent songé que là était peut-être « notre » premier enfant et qu'à l'instant, il voyait le jour pour la première fois. Jamais je n'ai supposé qu'il devienne un garçon ; de façon évidente, je le savais féminin. Plusieurs d'entre elles furent intimement nommées de prénoms de femmes existantes et belles. Nous faisions alors cette rencontre dans l'avenir, elle, adolescente au visage connu, considérant avec curiosité ce vieillard anonyme. Je prenais l'air généreux et tranquille de ceux qui ont beaucoup vécu, je racontais cette nuit, sa première nuit, notre dernière nuit, quand je la berçais entre mes doigts. Elle se moque. Alors j'explique l'exploit, mon combat avec l'ovule à peine mûr et les spermatozoïdes déjà mourants, je lui fais croire que j'avais délibérément choisi le spermatozoïde qui lui ferait les yeux si clairs. Le Zorro de laboratoire vieillira mal.

Quelques embryons furent rendus à l'utérus maternel, sans succès. Louise Brown était née, sous les flashes des reporters.

CHERCHEUR MILITANT

Avec la naissance du premier « bébé-éprouvette » en Angleterre, le spectacle commençait au-dehors, orchestré par la fièvre journalistique. Après tant de répétitions solitaires de l'équipe anglaise, dans le théâtre intime d'un laboratoire qui n'intéressait personne, on jouait la première à guichets fermés. De ce moment datent nos premiers rapports « sérieux » avec la presse, qui nous sollicita pour expliquer l'événement. Il fallut donner des cours du niveau de la terminale pour définir le follicule, l'ovule, le spermatozoïde ; il fallut décrire la méthode en détail alors que nous ignorions presque tout de celle des Anglais car, justement, l'exclusivité de l'événement avait été achetée aux parents de Louise Brown par un journal à grand tirage. Ainsi des journalistes faisaient leurs choux gras d'une aventure dont les inventeurs étaient réduits au mutisme par d'autres journalistes. Des plumitifs voulurent nous faire promettre l'exclusivité d'un éventuel succès français, comme si le hold-up à l'information, réussi par leurs cousins anglais, était un exemple pour toute la profession.

Nous n'avions techniquement rien appris de l'expérience anglaise mais le projet, pour la première fois, échappait à l'utopie, et nous avions déjà fait une bonne partie du chemin. On savait seulement qu'Edwards et Steptoe avaient cessé de stimuler l'ovulation des patientes avec des hormones, ces traitements étant considérés comme responsables des échecs antérieurs. Cette hypothèse fut contredite quelques années plus tard, mais notre modeste équipe y fut sensible et nous décidâmes de ne plus intervenir qu'à l'occasion de cycles spontanés, c'est-à-dire en dehors de toute stimulation artificielle de la physiologie féminine. Car ainsi va la recherche clinique qui vise au but thérapeutique sans avoir le temps, ou les moyens, d'analyser les mécanismes fondamentaux. Dans cette quête permanente du raccourci efficace, toute proposition devient un argument exemplaire dès lors qu'elle est à l'origine d'un seul succès. Contradictoirement, nous devons à cette réorientation de nos protocoles un à deux ans de retard dans la réussite de notre projet mais aussi la partie la plus riche du travail de recherche : Amandine, ou sa sœur en éprouvette, serait vraisemblablement née plus tôt si nous avions disposé de plus nombreux ovules grâce aux traitements hormonaux (que nous avons repris après deux ans d'interruption); mais l'acquis original de notre groupe, dans le domaine de la physiologie, est essentiellement la conséquence d'études approfondies du moment de l'ovulation naturelle.

Quoi qu'il en soit, l'intervention sur des cycles spontanés aggrava sensiblement les servitudes de l'équipe FIVÈTE. Quand on utilise des traitements hormonaux, on peut décider de l'heure à laquelle des ovules mûrs seront recueillis et choisir ce moment en fonction des impératifs du service, bien que le jour de l'intervention ne puisse être programmé à l'avance car il dépend de la réponse ovarienne de la patiente (voir p. 176). Dès que le choix fut fait de ne plus modifier la nature, notre disponibilité, déjà acquise sept jours

sur sept, s'étendit à la nuit. Car l'ovulation
naturelle de la femme se produit à des moments
variables mais avec une prédilection consternante
pour la nuit à certaines périodes de l'année. Ainsi
nous avons pu montrer que l'ovule est naturellement libéré par l'ovaire le plus souvent vers seize
heures en automne et en hiver, et le plus souvent
vers quatre heures au printemps. Quand le recueil
de l'ovule s'imposait à deux heures du matin, il
fallait mobiliser, outre ceux qui avaient fait le
choix de réussir la FIVÈTE, ceux qui étaient
indispensables à la réalisation de l'acte chirurgical : anesthésistes et infirmières. La FIVÈTE
était devenue une « urgence » et, malgré son nom
d'oiseau, elle avait grand appétit de personnel,
qu'elle consommait aux heures les moins convena-
bles. Il y eut d'assez fréquents tiraillements entre
René et son équipe clinique.

Pour moi, ces deux années où la FIVÈTE,
s'étant faite spontanée, surgissait là où on l'attendait le moins, furent les plus éprouvantes de ma
carrière de chercheur. Sitôt l'ovule placé en tube
et l'équipe médicale partie dormir, il fallait se
préoccuper du recueil et du traitement du sperme
puis réaliser la fécondation, c'est-à-dire rester
disponible, et seul, pendant encore deux ou trois
heures. Je retrouvais l'époque héroïque du militantisme politique : il est aisé de décider intellec-
tuellement son engagement, mais la traduction
quotidienne de cet engagement passe souvent par
une attitude « volontariste » comme on disait à la
LCR. Je devenais un permanent de la FIVÈTE,
relayé parfois par Alain, qui commençait à prendre ses distances. C'était les trois huit, assurés
sept jours sur sept par une personne et demie.
Quand l'un d'entre nous avait prévu une soirée

avec des amis, il fallait attendre le dernier jour à dix-huit heures pour confirmer notre disponibilité car, à ce moment seulement, se décidait le programme nocturne, en fonction des résultats des dosages hormonaux. Et René qui m'avait dit gentiment : « On pourrait essayer »...

Dans les films ou dans les romans qui content la vie d'hommes très occupés à se construire une image sociale (artistes, savants et autres serviteurs de l'humanité), on voit attribuer à l'épouse, quand elle existe, un rôle qui, à chaque fois, me laisse perplexe : en attente au foyer, elle pleure de joie quand l'amour-propre de son homme a reçu quelque flatterie et se morfond plus que lui-même quand, l'animal ayant jeté la balle trop loin, il n'a pu la rattraper. Peut-être étaient-elles comme cela autrefois mais ce n'est plus la mode et c'est bien normal. Ces artistes ou ces savants ne sont-ils pas principalement habités par un projet égocentrique dont on comprendrait mal qu'il leur vaille la sollicitude de ceux qui s'en trouvent délaissés. Du haut de ses huit ans, ma fille m'a lancé un dimanche : « Mais papa, pourquoi tu vas encore à ton labo, puisque ça ne marche pas ? » Elle ne pouvait pas comprendre ou admettre que, justement, j'y allais pour cette raison-là.

Le militant devrait vivre seul car les jeux qu'il a choisis le rendent le plus souvent indisponible à la relation familiale. Comment assumer simultanément deux aventures aussi exclusives qu'une intimité collective et un projet personnel ? Toujours les intentions chaleureuses en rapport avec la première sont mises à mal par les obligations du second, et vient le moment où la critique familiale du militantisme est plus contraignante que le militantisme même. Le rêve nombriliste ruine les élans du cœur, mesure le temps disponible et le détourne vers une démarche productiviste. Cette perversion n'est pas seulement vérifiée par l'absentéisme, elle ronge aussi l'espace affectif au moment même où le comportement du héros paraît comparable à celui d'un individu banal.

Mais il faut aussi parler des nuits, ces nuits privilégiées d'où surgit l'idée imprévue, incroyablement logique malgré tout ce noir et le repos apparent de l'esprit. Quelques dizaines de nuits sont plus riches de trouvailles que les longues années qui les contiennent. C'est à la faveur de la solitude unique du sommeil que, dans la machine cérébrale à l'abri des effets parasites, se défont les idées reçues et que se renouent aussitôt, en une harmonie évidente, les maillons du savoir. Mais cette idée venue d'ailleurs, il faudra la tenir au clair jusqu'à l'aube, pour éviter qu'elle ne se dissolve dans les confusions d'un sommeil ordinaire.

LES PREMIERS PATIENTS

Les couples stériles volontaires pour la FIVÈTE étaient encore rares et c'est bien normal. Comment accepter de se soumettre, les deux corps du couple dans le même dossier médical, à la disposition entière d'une technologie balbutiante, incapable de proposer une probabilité de succès ? La plupart n'étaient pas adressés par leur médecin car nous n'avions encore aucune crédibilité aux yeux du corps médical ; il s'agissait de couples familiers de l'hôpital ou qui avaient découvert notre équipe et son projet lors de la campagne de presse qui avait accompagné la

naissance de Louise Brown. En cédant aux sollici-
tations des médias on aurait pu facilement augmenter ce recrutement, mais rien encore ne nous
autorisait à proposer largement la FIVÈTE
comme solution à certaines stérilités. Pourtant
notre recrutement était insuffisant en regard des
servitudes qu'il provoquait : puisque toute programmation des loisirs était impossible si une
seule tentative hebdomadaire était prévue, il eût
mieux valu multiplier ces tentatives et accroître
ainsi les chances de succès et les occasions de
progrès. Comme il arrive dans la phase de mise au
point de toute méthode, ces premiers patients
« essuyaient les plâtres » avec leurs corps obs-
tinés, commandés par le désir impatient de procréer. Nous avons conservé pour ceux-là, jusqu'en ces jours de gloire, une sorte de tendresse
privilégiée. Pour quelques-uns l'enfant est venu,
d'autres ont abandonné ; mais certains figurent
encore, de temps à autre, au tableau opératoire,
témoignage émouvant d'une volonté à l'épreuve
de tous les coups du sort, mais aussi preuve
irritante des limites de notre savoir-faire. Ainsi,
quand les patients étaient presque aussi rares que
les membres de l'équipe, de véritables contacts
humains s'étaient spontanément créés entre notre
groupe et les couples stériles. En particulier le
laboratoire était un lieu ouvert où, chaque jour,
femme, homme ou couple venait poser des questions, découvrir les « outils » et, finalement, évaluer ses chances. Devant notre impuissance à
quantifier l'espoir, certains expliquaient la difficulté d'adopter l'enfant des autres, d'autres pro-
posaient de fabriquer l'enfant à trois, grâce à
l'intervention d'une amie ou d'une sœur (voir
p. 127).

Ils s'impliquaient finalement dans cette aventure parce qu'il eût été contraire à leur projet fondamental de s'en abstenir, mais personne ne croyait sérieusement au succès immédiat de la tentative. Après de longues années d'examens médicaux, de ventre incisé, tripatouillé, parfois mutilé, de traitements impuissants, l'obsession de ces couples était d'aller jusqu'au bout, et le bout c'était nous. Pour certains, l'excitation de l'aventure participait de ce recours à la « dernière chance » qui était aussi le choix du « nouveau » ; notre recette était la plus récente sur le marché de la stérilité et faire un essai avec nous, c'était un peu comme marcher sur la lune. Ainsi, consciemment ou non, ces patients trouvaient place parmi les acteurs du grand spectacle, puisqu'ils avaient décidé d'éprouver la méthode de procréation la plus sophistiquée, la plus artificielle, la plus fantasmatique pour les spectateurs du progrès. Ils connaissaient d'ailleurs parfaitement leur fonction spécifique, avaient presque tout lu sur leur rôle dans cette conception hallucinatoire d'un enfant, et sur le rôle des autres acteurs ; ils auraient pu coller n'importe quel journaliste ou médecin spectateur sur ce qu'on allait faire avec eux, et qu'ils feignaient de croire qu'on allait faire pour eux. Car la vertu du dénommé « patient » est bien dans cette obstination à se percevoir lui-même comme but unique des activités savantes. Et la contradiction du patient, dans sa relation au corps médical, est que, pour oser prétendre à ce statut rassurant, il doit prouver sa sujétion qui, selon les médecins, est « la moitié de la guérison »... Ainsi voilà le couple livré, pénis et ovaires liés, à la merci de sorciers apprentis qui, il faut bien y croire, n'ont d'autre souci que son bonheur.

L'ESPÈCE FIVÈTE

Dans l'environnement hospitalier, le patient n'est jamais dénommé par son affection mais par les moyens mis en œuvre pour le rendre à la normale : il n'y a pas de femmes stériles ou souhaitant avorter ou souffrant d'une tumeur utérine, mais des « FIVÈTE », des « IVG » (interruption volontaire de grossesse) et des « hystérectomies ». La singularité des FIVÈTE est dans l'ancienneté et la rémanence de l'affection, malgré les efforts thérapeutiques. De cette conscience collective d'appartenir à la même espèce naît la confraternité des FIVÈTE, espèce obstinée, obsédée par la rébellion du corps, le contraire d'une espèce selon les naturalistes puisque incapable de se reproduire sans échapper à la définition même du groupe, espèce en bonne santé se soumettant volontairement aux traumas de l'esprit et de la chair. La confraternité de ces patients ne concerne pas tant les hommes qui, pour la plupart, ne font que passer afin de déposer leur semence. Entre les femmes, le tutoiement survient naturellement et, à se raconter leur passé médical, elles savent vite à quelle variété de l'espèce FIVÈTE elles se rattachent selon l'état des trompes, des ovaires, du sperme du conjoint : qu'importe le bilan mécanique puisque la méthode de réparation est identique. Comme dans la chambrée militaire le plombier sympathise avec l'étudiant car ils sont venus pour la même guerre, ces femmes, célibataires pour quelques jours, se disent l'histoire des enfants qu'elles n'ont pas eus. Elles comparent au jour le jour leurs résultats cliniques : « Toi, tu as 800 d'œstradiol pour quatre follicules et moi 1 150 pour trois ! »

Parfois, débordant l'angoisse des chiffres, leur vient une idée conviviale : « Avec ma copine, on a décidé que, puisqu'on va être opérées le même jour, si l'une des deux a plus de trois ovocytes et que l'autre n'en a pas, on se donne le quatrième ! » On dit que ce n'était pas prévu comme ça, qu'elles ont aussi des maris à consulter, que ça pose des problèmes éthiques, bref qu'on ne peut pas. Après leur sortie de l'hôpital, elles se téléphonent quotidiennement pour échanger leurs sensations et mettre en parallèle les indications du thermomètre et des dosages hormonaux, jusqu'à la date redoutée des règles, signature sanglante de l'échec. Alors elles pleurent ensemble et se donnent rendez-vous pour la prochaine tentative.

En ces débuts, nous avons commis quelques erreurs psychologiques, comme de faire partager la même chambre à une patiente FIVÈTE et à une autre venue pour une interruption volontaire de grossesse. Un espace FIVÈTE n'avait pas encore été prévu dans le service car notre activité était récente, limitée en effectifs, et d'avenir incertain. Pourtant, malgré les dispositions prises ultérieurement, les « FIVÈTE » et les « IVG » se côtoient nécessairement. N'étant pas de véritables malades, elles parcourent fréquemment les couloirs de l'hôpital. Alors les « FIVÈTE » s'indignent de cette promiscuité, elles qui recherchent depuis si longtemps ce que les « IVG » ne veulent pas assumer. Lors de discussions entre l'équipe biomédicale et les couples stériles, nous avons été plusieurs fois confrontés à cette indignation, jusque dans des formes violemment agressives. Nous expliquons que cet hôpital, centre pilote en

FIVÈTE, à été et demeure un centre important pour les IVG, et que la liberté des uns n'aliène pas la liberté des autres. Ce n'est pas parce qu'un couple fertile renoncerait à l'IVG qu'un autre couple serait moins stérile. Il y eut des militants anti-FIVÈTE comme il y a des militants contre l'avortement, et ce pourrait être les mêmes. Cette logique passe mal auprès des couples FIVÈTE. Les plus pratiques demandent s'il serait possible de récupérer l'embryon avorté pour le faire adopter par l'utérus d'une femme stérile ; quel merveilleux équilibre écologique on réaliserait alors avec, en prime, l'économie de la culpabilité pour les avorteuses ! L'embryon n'accepte de s'implanter qu'une seule fois dans la muqueuse utérine et ce phénomène est étroitement contrôlé par un environnement hormonal défini. Pourtant un gynécologue américain, L. B. Shettles, spécialisé dans les communications spectaculaires, a récemment voulu faire croire qu'il aurait réussi à relever ce défi à la physiologie. Au moins autant que leurs conjointes, certains hommes du programme FIVÈTE s'opposent à l'IVG avec une rare violence. Il est certainement révélateur que ce soit précisément ceux qui, à cause de la qualité médiocre de leur sperme, ont une part de responsabilité dans la stérilité conjugale. Comme si, en amont de l'enfantement, se posait la revendication de fertilité, notamment comme norme sociale. Une chose est de prouver (de se prouver) sa capacité à procréer, une autre de choisir d'utiliser cette capacité pour se reproduire. On peut s'attendre à ce que, au moment où cette ambivalence éclate par l'irruption de la grossesse, un couple FIVÈTE soit demandeur de l'IVG.

DES HOMMES ET DES FEMMES

La participation désespérée au grand jeu du progrès médical est quelquefois connue des parents et des amis des couples FIVÈTE : un conducteur d'autobus fut extrait de son véhicule et rapidement acheminé à l'hôpital par ses collègues, avertis par téléphone qu'il était temps de recueillir le sperme. D'autres sont d'une discrétion pudique sur leur tentative, pour ne pas relancer l'espoir de la famille et peut-être aussi pour dissimuler que le conjoint devra se comporter comme un collégien à l'instant de produire l'indispensable semence. Si le recueil du sperme est la phase de la FIVÈTE la moins dangereuse, et devrait bien être la moins douloureuse, il constitue parfois un problème psychologique. Cet acte-là n'est pas médicalisé ; aucune prise en charge par des spécialistes, aucun enseignement de la manœuvre masturbatoire : « Monsieur, voilà un récipient stérile, vous vous nettoyez soigneusement les mains et le gland et, quand vous aurez fini, rapportez le bocal dans la pièce voisine. » Alors monsieur fait immédiatement le geste de se dévêtir, comme en ces lieux spécialisés où il allait pour le plaisir : il dépose sa veste ou bien retrousse les manches de sa chemise, ou encore porte la main à sa ceinture, avant même qu'on ait refermé la porte du « placard » où il doit s'exécuter. Quelques minutes plus tard, habituellement, il paraît timidement sur le seuil du laboratoire, le bocal caché dans la paume de sa main. Il veut s'en débarrasser au plus tôt, le poser n'importe où et s'échapper. Certains quittent le placard clandestinement en y abandonnant leur production, d'autres s'excusent de n'avoir pas été plus généreux car le récipient est si vaste qu'on ne peut être qu'humilié de le livrer presque aussi vide qu'avant. Des différences culturelles se révèlent à propos du tabou de la masturbation : les Arabes sont des donneurs faciles alors que les Noirs, Africains ou Antillais sont les plus réticents. Certains s'étonnent de notre demande : « Moi, j'ai jamais fait ça, vous êtes sûr que ça marche ? »

Par un beau jour d'été, j'arrivai à l'aube au laboratoire afin de remettre à un mari FIVÈTE le fameux réceptacle. Je me trouvai face à face avec un immense Noir, en maillot d'athlète ; il considéra de haut l'objet en plastique, écouta distraitement mes maigres explications, puis déclara péremptoire : « Bon, d'accord, mais moi je vais donner de l'urine ! » Je répondis, en m'excusant, que l'urine ne contient pas ces spermatozoïdes indispensables pour féconder l'ovule. Il demanda des explications supplémentaires sur la méthodologie qui lui permettrait de me donner satisfaction, puis conclut : « Je vais voir. » Trente secondes plus tard, il me remettait le bocal, plein à ras bord d'un liquide jaune sur la nature duquel on ne pouvait se méprendre. L'homme écouta avec agacement mes protestations puis finit par annoncer : « Pour le sperme j'ai déjà donné ce matin ! » J'appris que l'épouse qu'on aurait dû opérer quelques heures plus tard n'était pas susceptible de recevoir alors l'hommage de son mari puisque ce jour-là était réservé à une autre épouse.

Le plus surprenant est le refus fréquent de réaliser le recueil du sperme en couple, quand les conjoints se présentent ensemble. Nous avons même vu un homme qui, après avoir accepté cette

formule sur l'insistance de sa femme, a finalement
dû l'expulser du placard pour parvenir à ses fins.
Certainement, l'angoisse de produire ici et maintenant, parce que l'ovule attend, peut expliquer
bien des défaillances ; mais on imagine que, par-
delà le trouble somatique, la FIVÈTE puisse être
parfois une façon privilégiée, voire unique, d'assurer la procréation. Il y a, heureusement, le cas
contraire, comme celui de ces deux tourtereaux
qui, refusant le placard, avaient choisi leur chambre pour transformer en acte d'amour l'exercice
solitaire ; quand je vins récupérer le récipient,
celui-ci était posé dans le bidet blanc au-dessus
duquel, bouches mêlées et indifférents aux mou-
vements alentour, ils continuaient d'insuffler de la
tendresse dans nos manigances mécanistes.

Beaucoup ont prétendu que la FIVÈTE suppri-
merait la sexualité. Mais ne livre-t-elle pas plutôt
une image insupportable, parce que caricaturale,
de la sexualité ordinaire ? Le sexe de la femme
devient un couloir muet qui mène à la matrice,
mais le sexe de l'homme ? Monstrueusement érigé
dans le vide, c'est un membre écorché de toute
chair environnante, et qui fonctionne comme
convenu, jusqu'à se répandre dans le néant. Pour
nombre de couples, cette révélation misérable du
rapport inégal des sexes atteint à l'indécence
quand le rapport sexuel est notoirement annulé ;
ce fantasme est certainement partie intégrante de
la FIVÈTE, au point qu'une patiente a osé
revendiquer le droit à la jouissance au moment où
l'œuf serait restitué à son utérus.

Il y eut aussi de riches contacts, de professionnel à professionnel, comme avec ce restaurateur
réputé qui racontait sa cuisine comme un poème.
Par nos pratiques expérimentales, notre passion

du métier, notre souci de découvrir les meilleures recettes, nous étions sur la même longueur d'onde. Car s'il y a du magique dans la FIVÈTE, il y en a autant dans la bonne cuisine : marier des éléments bruts pour en faire autre chose qu'un mélange d'additifs, pour en faire jaillir une solution originale, harmonieuse à l'évidence, est une activité privilégiée par laquelle tous les cuisiniers du monde se reconnaissent. Hélas, la « bonne FIVÈTE » est seulement celle qui fait des enfants. Il fallait bien que ces premiers patients aient cru à la magie de nos actes pour que, malgré la mesure apparente de leurs espoirs, la révélation de l'échec soit suivie de quelque chose qui ressemblait au désespoir.

C'est surtout au moment de rendre l'embryon à l'utérus maternel que la magie peut se manifester. Le transfert embryonnaire réunit, pour la première fois, les divers membres de l'équipe avec la patiente et il marque la disparition de l'embryon hors du champ d'observation, son enfouissement dans l'épaisseur secrète de la matrice ; jusqu'à sa renaissance ou son anéantissement. Je garde le souvenir d'une de ces cérémonies de la « première période » quand on savait déjà concevoir et « faire pousser » l'embryon, mais que celui-ci ne nous adressait jamais plus le moindre signe, aussitôt abandonné dans les profondeurs utérines. La patiente était une psychologue et, comme chez la plupart de ceux qui font métier de découvrir le dedans des autres, son être affectif transparaissait au-dehors. Elle était allongée, nue, sur la table d'acier, au centre d'une pièce trop grande car la même salle chirurgicale était alors utilisée pour le recueil des ovules et le transfert des embryons. On avait fermé les rideaux pour établir une douce pénombre, propice à la relaxation ; seul l'énorme scyalitique plongeait sa lumière blanche entre les cuisses largement ouvertes de la jeune femme. Tandis qu'une infirmière discrète s'affairait aux préparatifs, René, Bruno et moi nous penchions à tour de rôle vers le visage anxieux pour échanger un sourire. On avait apporté le poste radio-cassette qui émettait en sourdine de la musique sacrée. Personne ne parlait ; on avait pensé allumer des bougies mais on n'avait pas osé. René fit la toilette du col avec des lenteurs inhabituelles. Bruno prit doucement la main que la femme lui tendait, tandis que j'introduisais le minuscule embryon dans le cathéter de transfert. La femme était attentive à tous nos gestes et cherchait sur nos visages des indices du bon déroulement de l'intervention. Elle se détendait progressivement, comme gagnée par notre recueillement. Il y avait dans ce théâtre de la médecine de pointe une ambiance plus mystique qu'à l'église, aux veillées de Noël. Comme si notre impuissance révélée à faire naître l'Enfant nous amenait à nous soumettre à d'autres lois que celles par lesquelles on mesure, nous réduisait à fusionner nos vœux avec ceux de cette femme, à communier ensemble et avec elle, sur cette musique sublime de Vivaldi. Le cathéter pénétra sans résistance au-delà du col, jusqu'aux chairs invisibles. Dès que j'eus vérifié que l'embryon avait quitté le cathéter pour demeurer chez elle, je prononçai doucement : « Madame, vous êtes enceinte !... » Rien d'autre ne fut dit avec des mots au cours de cette cérémonie. Elle sourit, et toujours étendue, les bras en croix, ses mains serrèrent fort celles des deux biologistes ; la tête de René réapparaissait d'entre ses cuisses ; la musique était belle à pleurer. Quand elle rejoignit son mari, quelques minutes plus tard, elle dit seulement : « J'ai fait l'amour avec les trois. »

UNE TRISTE COLLABORATION

Un second groupe de recherche sur la FIVÈTE était né à Paris, à l'hôpital Necker. A l'occasion de diverses rencontres nous avions établi des rapports de sympathie avec les deux femmes biologistes de ce groupe. Il n'était pas indifférent à notre équipe masculine que des femmes se soient lancées dans la même aventure, ne fût-ce que pour les signaler aux militantes du MLF qui voulaient voir dans la FIVÈTE une ultime méthode utilisée par les mecs pour récupérer le corps de la femme. Bien sûr, nos relations avec les « copines » n'étaient pas exemptes d'ambiguïté comme il arrive quand des chercheurs travaillent indépendamment sur le même projet. Dans le monde de la recherche, microcosme caricatural de la société, les velléités de dominance prennent une importance exceptionnelle, liée à la nature même de l'activité scientifique : la propriété de l'objet y est jalousement défendue, comme dans toute activité de production, mais beaucoup plus forte est la revendication existentielle du chercheur. Dès que celui-ci investit un territoire scientifique, il imprègne chaque outil de ses odeurs vitales et introduit son rythme propre dans l'acte le plus banal, sans que l'étranger se doute de rien. Ainsi vérités et erreurs sont intimement reconnues par le chercheur comme apparitions diverses de son être unique, de la même façon qu'une mère se reconnaît dans l'enfant parfait et le débile profond.

Nos collègues de Necker étaient désemparées parce que, à cette époque, elles ne parvenaient pas à obtenir régulièrement des œufs fécondés et divisés. On en vint à mettre en cause les conditions particulières dans lesquelles elles devaient travailler : l'hôpital Necker ne disposant pas d'un service de chirurgie gynécologique, les ovules étaient recueillis ailleurs, puis soumis à la FIV au laboratoire de Necker. Le transport de l'ovule d'un hôpital à l'autre pouvait être responsable de ces échecs. On convint d'une collaboration pour juger de cette hypothèse : les ovules prélevés chez dix patientes à l'hôpital de Sèvres, par le clinicien habituel de cette équipe, seraient acheminés jusqu'au laboratoire de Clamart plutôt qu'à celui de Necker et, si on obtenait des embryons, ceux-ci seraient retournés à Sèvres pour y être replacés dans l'utérus maternel. Au moment de convenir de cet accord, à la logique évidente, personne n'envisageait qu'une grossesse pourrait en résulter. Les deux premières tentatives conduisirent chacune à un transfert d'embryon et dès le second transfert, la première grossesse française après FIVÈTE était détectée.

Quand les signes cliniques de cette grossesse furent incontestables, un communiqué de l'hôpital de Sèvres rendit la chose publique, en insistant sur le rôle de ses propres médecins, lesquels avaient réussi cet exploit « en collaboration » avec les équipes de Necker et Clamart.

Les copines n'étaient pas trop fières de leur participation marginale à cette « première médicale ». J'étais plutôt frustré de constater que mon intervention était reléguée au dernier rang des collaborations ; quant à René, il était carrément en colère : sa fonction habituelle ayant été court-circuitée, son rôle avait été inexistant. Voilà qu'après tant d'efforts solitaires de notre équipe, de mises au point techniques, de nuits sans sommeil, voilà que nous avions offert, sur un plateau, le succès à une équipe concurrente !

Il y eut des communications téléphoniques de moins en moins aimables entre Sèvres et Clamart, puis des communiqués officiels de l'Assistance publique et de l'INSERM pour tenter d'éclairer cet imbroglio. Mais le médecin traitant est toujours le seul « propriétaire » de son patient et nous demeurions de vagues comparses. A l'évidence, l'important n'était pas que cette femme eût son enfant mais de savoir par qui (de qui ?) elle l'aurait eu. Cet épisode dramatique de l'histoire de France de la FIVÈTE témoigne de l'ardeur humanitaire des « savants en blouse blanche », ceux-là au service des couples stériles comme d'autres dévoués à la lutte contre la maladie. Seule la « grande » presse exerçait son métier avec sérénité : ignorant ces basses querelles de clocher, elle cherchait activement à arracher l'interview, l'exclusivité, le scoop à cette pauvre femme qui ignorait l'histoire de sa conception. Un hebdomadaire qui ne craint ni le choc des mots ni le poids des photos obtint enfin une photographie de la future mère. Non que celle-ci eût volontairement posé devant l'objectif ; c'était une photo pirate, prise à distance dans les couloirs de l'hôpital de Sèvres, mais avec cette acuité perçante qu'ont les charognards tandis qu'ils tournoient sans cesse au-dessus de leur proie. La femme eut droit à une page entière du grand hebdomadaire, vraisemblablement parce qu'une grande photo contient davantage d'informations qu'une plus petite. Elle était reconnaissable malgré le bandeau noir sur ses yeux destiné à éviter un éventuel procès : l'information est un métier d'expert. C'est juste quand la France entière enrichissait sa culture scientifique par cette image décisive que Mme M. expulsa son fœtus. Tout le monde ne fut pas triste de cet avortement et la collaboration entre les deux groupes, prévue pour dix tentatives, s'arrêta là.

AMANDINE EST NÉE

Le 10 mai 1981 fut une date importante pour la vie politique de notre pays mais on ignorait encore une autre raison de la célébrer. Ce jour-là, la future maman d'Amandine terminait dans le rouge son dernier cycle de femme stérile ; alors commença la période rose. Il faut dire les choses comme elles étaient : au début ce fut plutôt incolore : on ne pouvait imaginer qu'un destin particulier s'attacherait à ces gamètes tellement semblables à d'autres dont le mariage avait été sans avenir. Aussi cet enfant de deux jours (ou de moins neuf mois ?), posé au fond du tube, n'était pas différent des œufs à quatre cellules qui avaient peuplé l'incubateur. Du moins je ne vis aucune différence et il fut traité comme un embryon ordinaire. Pourtant, contrairement à tous ceux observés jusqu'à ce jour, cet embryon était un enfant auquel il ne manquait que le temps de l'incubation utérine. Ainsi commença la troisième grossesse après conception dans nos éprouvettes et c'est seulement à la fin du premier trimestre qu'il fut convenu que nous avions gagné. Car il y eut bien des frayeurs : à assurer un suivi trop fréquent des niveaux hormonaux on s'était exposé à des variations naturelles, mais inquiétantes, d'une semaine à l'autre. Quand Annie vint nous visiter, rayonnante de joie et de santé, son ventre déjà rond rendait l'événement indiscutable. Il manquait pourtant un examen d'importance qui devrait vérifier la formule chromosomique de l'enfant à l'origine de cette merveilleuse distorsion du corps : encore trop peu de bébés étaient nés après FIVÈTE et nul ne pouvait estimer le risque d'anomalies éventuellement induites par la méthode. Bien que la plupart des défauts génétiques conduisent à l'avortement spontané au cours du premier trimestre, certains sont plus redoutables encore car compatibles avec la naissance d'un enfant anormal. On imaginait ce bilan sinistre de trois années de labeur et d'espoir : l'équipe de Clamart a réussi à transformer une femme stérile en mère d'un mongolien ! Alors les mandarins de la médecine et de la recherche, les chacals de la presse et les professionnels de la morale clameraient tous ensemble qu'ils l'avaient prévu, qu'ils nous avaient prévenus, qu'à vouloir jouer à l'apprenti sorcier... Alors nous aurions une culpabilité immense envers Annie et Bernard et leur produit amandoïde. L'erreur chromosomique deviendrait la conséquence et la preuve de notre propre erreur et il faudrait tout arrêter. Il aurait suffi d'un chromosome en plus ou en moins, comme cela finira bien par arriver, pour que la grande première du spectacle FIVÈTE se transformât en apocalypse.

Dans cette hypothèse terrifiante, seul l'avortement thérapeutique pouvait nous tirer d'affaire mais cette solution, évidente pour l'équipe, pouvait l'être moins pour le couple. Au cinquième mois revint la sérénité : le caryotype était normal et, en prime, nous apprenions le sexe de l'enfant, conforme à mes rêveries d'éprouveur solitaire. Annie et Bernard ne voulurent pas savoir ; épuisés d'émotions en noir et blanc ils se ménageaient une vraie surprise en rose ou bleu ; et puis, peut-être que, lassés de ce viol méthodique de leur intimité, ils abandonnaient aux voyeurs professionnels l'exclusivité de cet ultime résultat.

La presse à sensation était sur le qui-vive et nous traquait sans pudeur, nous photographiant en cachette, jusque dans notre vie privée, en prévision du jour J. Le plus surprenant n'est pas que nous ayons été considérés comme de vulgaires princesses ou acteurs à la mode, mais que ces documents n'aient jamais été utilisés. Comme si, dans ce métier-là aussi, l'improvisation tenait lieu de programme. Et toujours ce chantage à l' « information » : la France a le droit de savoir. De savoir que le premier de nos concitoyens conçu en éprouvette naîtrait en février plutôt qu'en mars et serait l'enfant de Mme Durand ménagère, plutôt que de Mme Dupont secrétaire ?

Toujours cette obsession de prétendre en dire plus que les autres, obsession qui conduit à la désinformation. Des individus non identifiés quadrillaient l'hôpital, photographes en parka comme pour les guerres exotiques, ou femmes d'affaires en tailleur strict cherchant à soudoyer le personnel pour des agences mystérieuses. Des combattants de la triste bataille du scoop rampaient le long des murs, apparaissaient dans les étages et, sitôt expulsés, étaient découverts derrière les portes.

René avait annoncé la naissance pour mars afin de déjouer l'ennemi, mais l'ennemi était riche et savait visiblement à quoi s'en tenir, sauf sur l'identité d'Annie. Pour désorienter les agresseurs, celle-ci fut hospitalisée sous un nom d'emprunt et les paparazzi nocturnes furent trompés par l'accouchement bien à propos d'une secrétaire du service.

La naissance du premier « bébé-éprouvette » français fut l'occasion d'un scénario savant, témoin à la fois de la validité du système D et de la supériorité tactique de l'assiégé sur l'agresseur. Tout se passa comme dans un film policier, selon ce qu'on m'en a dit car, discrétion oblige, je ne fus pas prévenu de l'événement. René avait déployé de remarquables efforts d'imagination pour qu'Annie puisse accoucher comme une autre femme. Quelques heures avant la naissance, comme je lui demandais où en était la préparation, il me répondit que cela approchait, sans préciser qu'Annie était dans une chambre de l'hôpital, à quelques mètres de nous. L'intervention du biologiste était déjà ancienne, et le clinicien reste seul maître de la stratégie concernant chaque patiente. Et puis, il est bien vrai que je ne suis pas un bon tiroir à confidences, considérant le secret comme l'arme essentielle de tous les pouvoirs. Pourtant, quand le téléphone sonna chez moi vers trois heures dans la nuit et que René m'annonça la naissance d'Amandine, ma joie fut tempérée par le sentiment d'en avoir été écarté.

LA PRESSE

Quelques heures après la naissance, je présentai ma carte d'identité au policier en faction devant la chambre d'Annie ; vers midi, il y eut une conférence de presse et l'événement fut immédiatement répercuté, avec plus ou moins de bonheur selon l'aptitude des uns et des autres à se faire l'écho d'un message commun. Pour la plupart, le travail d'information était centré sur la photo d'Amandine accompagnée de commentaires inventés : « La chambre de la maman est remplie de fleurs », « La prochaine fois elle veut un garçon. » Quelques-uns firent leur travail convenablement. A Europe 1, nous eûmes affaire à une véritable équipe de professionnels qui nous plaça, René et moi, sous un feu roulant de questions pertinentes durant trente minutes dont pas une seconde ne fut perdue. Antenne 2 organisa un sympathique surplace à Béclère où fut présentée la totalité de l'équipe : trente personnes environ qui, à des titres divers, avaient rendu possible cette naissance. Le Monde, exceptionnellement, ne demanda pas à nous rencontrer ; un gros article bien documenté décrivit pourtant de façon impeccable les divers aspects de la question, preuve que l'information existait, pourvu qu'on fût capable de l'exploiter. En prévision de l'événement, et afin d'éviter d'être l'instituteur de chaque journaliste, j'avais écrit dans le dernier numéro de La Recherche (n° 13, février 1982) un long article qui expliquait tous les aspects de la méthode.

Malgré notre lassitude à répéter plusieurs fois par jour les mêmes phrases, nous n'en avions pas terminé avec la presse qui nous pourchassa encore durant plus d'un mois. Nous avions d'évidence recherché le spectacle mais nous avions cru mériter mieux. Mieux que ces éternelles questions auxquelles nous avions répondu cent fois déjà, mieux que ces enquêteurs sans imagination qui s'imposaient sans gêne et sans bagages. A tel point que me vint une méchante idée : nous n'accepterions plus d'interview qu'après avoir testé la qualité du journaliste en lui posant deux questions élémentaires sur le sujet dont il se prétendait passionné. Je propose cette méthode objective de sélection à tout scientifique coproducteur de spectacle informatif car, dès lors, nous obtînmes une paix relative. La rencontre la plus intelligente eut lieu avec une revue produite par des amateurs, *Types-Parole d'hommes*. Quel soulagement quand, au lieu de s'intéresser à la forme de l'éprouvette ou à la couleur du milieu de culture, on me demanda : « Comment en es-tu arrivé à choisir de faire ça ? » Enfin on échappait aux banalités et on abordait l'essentiel. Pour sûr l'essentiel à mes yeux, puisque le jeu des questions intimes m'interrogea personnellement ; mais certainement l'essentiel aussi pour les autres, pour ceux qui sont stériles et ceux qui paient la recherche, pour ceux qui organisent le progrès et ceux qui le consomment.

Ainsi nous eûmes affaire à trois catégories de journalistes. Les plus rares et les plus précieux cherchaient le pourquoi psychologique de l'aventure achevée et de celles à venir. D'autres, trop peu nombreux, se voulaient les traducteurs objectifs d'une expérience concrète. Les derniers enfin, toujours premiers au feu, avaient pour mission (aucun de ceux-là ne s'accepte comme responsable) de remplir une surface de presse automatiquement affectée au sujet, chacun devant faire croire qu'il en savait plus que tous les autres réunis. Ceux-là orientent immédiatement le dialogue vers les mots magiques, les sujets bénis du gratte-papier, même s'ils nous sont étrangers : « manipulations génétiques », « clonage ». Pourquoi pas « traite des blanches » ou « paupérisation relative » ? Le reporter médiocre a besoin d'échapper à un sujet qu'il comprend peu en l'élargissant à un autre auquel il ne comprend rien ; c'est à ce prix, en lavant plus noir, qu'il s'agrippe au « nouveau ». Comment le chercheur, novice dans le rôle de vedette et non armé pour cette fonction, peut-il s'y reconnaître ? A moins qu'il ne sélectionne les consommateurs de l'information, il lui est impossible de fuir les violeurs maladroits pour se consacrer aux enquêteurs avisés, lesquels ne touchent qu'un public restreint. Chaque fois il faut accepter d'être disponible pour celui-ci, en l'espérant plus compétent que celui-là, et presque chaque fois c'est la déception, la frustration. Car s'il n'y a pas bonification mais appauvrissement du message, s'il n'y a pas retransmission mais perversion de la vérité, il faut bien admettre que la fonction rémunérée de l'enquêteur est seulement d'exploiter l'effort bénévole du scientifique pour le renseigner. Sitôt le rapt des mots ou des images accompli, le prédateur, d'abord obséquieux, disparaît ou se fait méprisant : malgré les promesses, le « papier » est rarement soumis à notre relecture et aucune image ne nous est retournée des documents filmés, avec nous, pendant plusieurs jours. A notre demande d'obtenir en prêt, afin d'illustrer un exposé dans une maison de la Culture, un film réalisé dans notre laboratoire, la chaîne de télévision devenue propriétaire du document répondit en nous proposant sa location payante.

La télévision, moyen moderne de communication, est, chacun le constate quotidiennement, à l'avant-garde du combat pour l'éducation scientifique des Français. Combat qui passe aussi, le plus souvent, par le mépris des scientifiques à qui on n'accorde que quatre-vingt-dix secondes de commentaires (nécessairement toujours identiques), sur un sujet que les demandeurs prétendent tellement important. L'important n'est pas le sujet, mais que la chaîne l'ait traité pour n'être pas en retard d'un maillon sur les autres chaînes. Comment pourrait-on en finir en quatre-vingt-dix secondes alors que Sue Ellen est toujours dans la même situation après des centaines d'heures ? Mais, surtout, la télévision a innové avec cette perversion du spectacle scientifique qui consiste en l'autotransformation du journaliste en vedette dudit spectacle. Pour nous expliquer l'espace et ses étoiles, deux individus abandonnent le costume de Dupond et Dupont et évoluent dans leur déguisement futuriste, au milieu de cadrans compliqués. Cette mise en scène sophistiquée opère une distanciation entre le journaliste devenu acteur et le commun des téléspectateurs ; les deux compères s'offrent alors des répliques sur mesure et l'authentique M. Dupont, dans son fauteuil, assiste à la résurrection d'un Einstein play-boy et schizoïde. A d'autres occasions, on a pu voir sur le même écran un astrophysicien authentique, ayant l'aspect d'un barbu ordinaire et racontant avec simplicité et poésie la vie des étoiles comme d'autres racontent la vie des saints. Cette vérité, cette passion, offrent des moments efficaces et

précieux d'information ; je ne sais qui, à l'applau-
dimètre de la science publique, l'emporte des
frères Bogdanov ou de Hubert Reeves, mais je
crois qu'il est malsain d'abandonner la parole aux
machines péremptoires et, qu'à en voir la source,
on comprend mieux les méandres de la rivière. La
FIVÈTE n'a, bien sûr, pas échappé à la récupéra-
tion journalistique, elle fut l'objet d'une formule
clownesque, infligée par un adolescent cabotin en
qui la France a justement reconnu le Guy Lux de
LA science. Laurent Broomhead est de ceux qui
ne reculent pas devant les moyens qu'il croit péda-
gogiques et remplace la course au sac par son
ascension personnelle d'une énorme maquette
utérine. S'il faut montrer un chercheur observant
dans un microscope, on le fait « jouer » par une
personne de l'équipe ; s'il faut expliquer une
expérience, le visage poupon du réalisateur apparaît sur la moitié de l'écran. C'est le one-man-
show de la science digérée, inodore et sans saveur.
Quoi de plus réconfortant pour M. Dupont que
d'avoir compris tout ce qu'on lui a servi, même si
l'assiette était presque vide, même si elle contenait
quelques miettes erronées ? Qui dira à M. Dupont
que cet opéra technique a coûté plus que l'ensemble des crédits affectés à la recherche qu'il est
supposé montrer ?

LES MÉDAILLES

Quand survient le succès, on reçoit beaucoup
de messages de sympathie. Des cartes conventionnelles de gens attentifs à ne pas commettre
d'impairs ; immédiatement reconnues, elles vont
au panier qu'elles méritent. Aux appels d'anciens

copains qui cherchent du boulot, on est gêné de répondre que l'investissement est très inférieur à ce que laisse croire un tel remue-ménage. Et puis, il y a les vraies félicitations, celles qui viennent du cœur, d'autres copains ou de gens qu'on a seulement croisés autrefois. Ainsi ce directeur de recherche à l'INRA qui m'écrivit : « Félicitations pour cette belle revanche. » Comprenne qui pourra dans ce nouveau monde où j'ai débarqué il y a six ans ! Merci camarade directeur à l'INRA, ce fut mon plus beau compliment.

Mais l'État ne fut pas en reste : télégrammes des ministres de la Santé et de la Recherche. Alors on se dit qu'enfin on va avoir ce poste pour Bruno, vacataire depuis quatre ans, et peut-être qu'on va recruter, pour vivre, comme tout le monde, plus de deux week-ends par mois...

On formule les vieilles demandes de postes, à l'INSERM et à l'Assistance publique, mais cette fois on y croit, et effectivement on gagnera l'essentiel.

Pourtant on nous propose avant tout une chose à laquelle je n'avais pas pensé, une chose cocasse, archaïque plutôt que rétro, une chose pas chère, à la mesure d'une crise économique : on nous propose des médailles. Papiernik est heureux de nous annoncer la bonne nouvelle : lui aura la Légion d'honneur, René et moi l'ordre national du Mérite. Ainsi en a décidé J.-P. Chevènement, à qui quelqu'un a bien dû demander ces trophées étranges. Moi qui croyais que notre gouvernement socialiste était occupé à combattre les exploiteurs, les racistes et à améliorer la qualité de la vie, je découvre les charmes du XIXe siècle, car l'information est confirmée par un luxueux dépliant à la gloire du grand Napoléon. Et bientôt nous par-

viennent des formulaires par lesquels nous devons
solliciter l'honneur d'être ainsi décorés : comme
des joueurs de football, des danseuses de cabaret
ou des policiers morts en mission. Si encore il y
avait un ordre pour les chercheurs méritants !

Alors me revient le souvenir d'une rencontre
fortuite et sympathique avec une personne proche
du ministre de la Recherche. Au téléphone j'explique que je ne veux pas de cette médaille, par
principe, mais j'ajoute que notre équipe a des
besoins concrets. Mon interlocuteur est ravi :
« Au ministère on a tous rigolé de cette décision,
tu as bien fait de m'appeler, je déjeune justement
avec le ministre demain et je lui en parlerai. »
Quelques jours plus tard la même personne :
« Monsieur Testart, j'ai entretenu monsieur le
ministre de votre demande. Il est disposé à
examiner vos difficultés... le jour où il vous
remettra la médaille. »

Je n'ai jamais supporté d'être piégé ; chaque
fois mon corps réagit en fabriquant des cailloux
dans les reins ou des trous dans le duodénum, et
mon estomac est tombé presque entier dans la
poubelle du chirurgien. Ce n'est plus l'activité
FIVÈTE qui m'empêche de dormir, c'est la forme
imprévue que prend le spectacle de la réussite.
Accepter le marché proposé (des moyens de
travail contre des médailles), c'est entrer pour la
première fois dans la compromission, c'est commencer, sur le tard, ma normalisation. Pourquoi
avoir tellement sacrifié à mon amour-propre, et
pendant si longtemps, si j'accepte aujourd'hui
mon premier compromis, qui en appellera d'autres, avec la machine étatique ? Alors ce que
j'avais vécu comme étant MON histoire n'aurait
été que la période juvénile, puérile, dérisoire d'un

développement qui devait finir par contenir l'adulte.

Il fallait réagir vite, décider, avant que le corps ne me lâche ; il me fallut plusieurs mois pour trouver une solution. En fait il m'était imposé une récompense pour la naissance d'Amandine, mais cette naissance devenait l'arbre qui cache la forêt. Car il y avait d'autres succès derrière ou à côté d'Amandine ; ces résultats scientifiques dont la presse n'avait pas parlé mais qui honorent le chercheur davantage que toutes les représentations spectaculaires d'un événement non original. Pour la production d'Amandine je ne revendiquais rien qui fût issu de l'institution ; c'était l'histoire intime d'un défi mené au mépris des avantages acquis des salariés. Mais, à l'occasion de ce programme, j'avais pu acquérir quelques connaissances nouvelles sur la physiologie de l'ovulation et pour cela je revendiquais une reconnaissance ; pas une médaille bien sûr mais, plus concrètement, un poste de maître de recherche à l'INSERM. J'avais enfin trouvé une solution honnête au dilemme qui m'était imposé : si les scientifiques, mes pairs, reconnaissaient l'intérêt de la face cachée de mon travail, alors seulement j'accepterais cette médaille proposée par les politiques.

Car dans ma résistance douloureuse à recevoir cette médaille n'entrait pas seulement le refus de céder à un caprice de l'État ; il y avait aussi comme la honte professionnelle d'être l'objet d'une attention démesurée : je rencontrais de temps à autre des collègues responsables de prouesses admirables dans leurs recherches sur les mouches, les poissons ou les vaches, des recherches qui à terme auraient des conséquences sur la vie quotidienne des hommes, mais qui étaient encore dépourvues des valeurs séductrices qui font le bonheur des médias. Quelle chance d'être en bout de chaîne de l'acquis scientifique !

Tout arriva dans l'ordre : un statut de technicien pour Bruno, ma nomination comme maître de recherche, deux postes de techniciennes créés par l'Assistance publique et les merveilleuses médailles à sept cent quatre-vingt francs pièce. Dans la foulée l'Académie de médecine me décerna un prix pour mes « études chronobiologiques sur l'ovulation humaine » et cette reconnaissance me flatta profondément.

René avait été nommé professeur agrégé dès 1979 ; la naissance d'Amandine lui apporta une notoriété considérable qui trouva une traduction heureuse dans l'affluence des patients à ses consultations publiques et privées.

RE-CRÉATION DU PATIENT

Quelques mois après la naissance d'Amandine, la presse s'était un peu calmée et la FIVÈTE avait retrouvé une certaine sérénité, celle de l'activité quotidienne d'une équipe reconnue qui doit bien confirmer son avantage. Mais l'impact avait été considérable auprès des couples stériles. Une secrétaire occupait ses journées entières à répondre aux appels téléphoniques et donnait des rendez-vous à plusieurs mois d'échéance : la liste d'attente commençait.

Nombre de ces demandes étaient récusées d'emblée ou lors de la première consultation médicale, et de tels refus sont encore fréquents aujourd'hui, car la FIVÈTE n'est praticable que si les fonctions ovariennes et utérines sont maintenues (voir Indications médicales, p. 169). Le plus surprenant est que des femmes privées d'ovaires ou d'utérus soient adressées à l'hôpital Béclère par leurs gynécologues, pour une tentative de fécondation externe. Malgré tout le tapage autour de la FIVÈTE, ces médecins faisaient la même démarche utopique que j'avais connue avec les professionnels de l'élevage, à propos du transfert d'embryon bovin. Comme si le label « nouveau », étiqueté sur notre activité, autorisait à croire que tout ce qui était jusque-là désespéré devenait soudainement possible !

Le recours à de nouvelles techniques, par des praticiens exercés à d'autres plus classiques, peut être aussi l'occasion d'une certaine confusion dont on m'a rapporté un exemple savoureux. Il a été proposé par certaines équipes FIVÈTE de remplacer la position gynécologique habituelle de la patiente au moment du transfert d'embryon par la position génupectorale (patiente accroupie, s'appuyant sur les genoux et les coudes). Un gynécologue de grande expérience, mais confronté pour la première fois professionnellement à cette présentation de l'intimité féminine, fit une « erreur » révélatrice, au moment de l'introduction du spéculum : accoutumé à pénétrer l'orifice supérieur, il posa l'appareil sur l'anus plutôt que sur la vulve. La confusion, immédiatement corrigée, montre la difficulté d'accorder le geste ancien avec le geste nouveau, de marier l'habitude avec l'innovation.

Même en ne considérant que les cas « acceptables », nous fûmes surpris du nombre élevé des demandes. Aucune étude n'avait été faite pour estimer la fréquence des stérilités justifiables de la FIVÈTE et, de toute façon, le recensement des cas selon leur définition somatique (stérilité d'origine tubaire) n'aurait constitué qu'une indication très approximative de la « clientèle » à traiter. Car il fallait bien imaginer que nombre de ces couples avaient eu recours à une solution non médicale, comme l'adoption, ou avaient tout simplement renoncé à fonder une famille. Pour beaucoup, les vieux rêves avaient été relégués au grenier des frustrations et ils vivaient presque aussi bien que les gens « normaux », sauf que, de temps à autre, à croiser un enfant dans la rue ou sur une page de magazine, leur revenait l'amertume qui clôt les attentes cycliques. Ils avaient visité de nombreux « docteurs », ils avaient fait tout ce qu'on leur demandait et on leur avait fait tout ce qu'on croyait devoir faire, pendant des années. Ils avaient tout connu des traitements disponibles, des hormones au bistouri, en passant par les radiographies, et cela finissait toujours par une courbe de température effondrée et un petit matin rouge. Un jour ils avaient dit non parce qu'on ne leur proposait plus rien qu'ils n'aient déjà éprouvé, parce que, finalement, cet acharnement les faisait encore plus différents de la norme que les couples qui avaient choisi de ne pas avoir d'enfant. Depuis cette décision difficile, ils vivaient pour eux-mêmes en oubliant tant bien que mal cette singulière défaillance du corps. Jusqu'au moment du boum FIVÈTE, car voilà qu'après Louise Brown, ils croisent Amandine en première page du journal, et c'est reparti : ce truc-là c'est nouveau et on ne l'a pas essayé. A trente-cinq ou quarante ans, le temps de la dernière chance, c'est maintenant ou jamais. Ils téléphonent, ils ressortent le dossier médical poussiéreux, ils redeviennent des patients, soumis, attentifs, comme il convient quand on n'a pas eu de chance.

Le patient vétéran a en commun avec l'ancien combattant quelque chose qui l'amène à se mobiliser dès qu'arrive une nouvelle guerre. Là aussi le plus grand nombre sera perdant. Un des avatars de la santé-spectacle est la re-création du patient.

LA TAUPE ET LA FIVÈTE

Aujourd'hui nous avons « réussi ».

Plus de deux cents enfants sont déjà nés après conception dans mes éprouvettes dont dix sont issus du développement d'un œuf congelé ; cinq à dix nouveaux bébés naîtront au cours de chacun des mois à venir. Des groupes de plus en plus nombreux, sérieux ou moins sérieux proposent la méthode, en France comme à l'étranger. Un gynécologue italien a pu obtenir, dès 1983, la première naissance d'un bébé FIVÈTE en Italie. La méthode promotionnelle fut exemplaire de ce que peut autoriser le pouvoir médical : ce médecin invita pendant quelques semaines un biologiste d'une équipe FIVÈTE anglo-saxonne, et lui demanda d'intervenir chez de nombreux couples stériles, rassemblés pour l'occasion. Le biologiste est retourné depuis à son laboratoire, l'enfant est né, la liste des demandeurs de FIVÈTE est confortable, la clinique fonctionne au mieux de ses intérêts. Il ne manque qu'un laboratoire efficace, mais qui le sait ?

La FIVÈTE n'est plus un spectacle, la science ne se donne qu'en exclusivité, comme ces mauvais films qui ne font pas de reprise. Pourtant les acteurs ne sont pas au chômage : nous travaillons à améliorer l'efficacité de la méthode ; les patients malchanceux reviennent et les plus déçus reprendront leur rôle dès l'annonce d'un progrès décisif ; les journalistes surveillent, dans l'attente d'un nouveau « coup » éventuel ; l'institution crée des structures de réflexion ; bien qu'encore insuffisants, les moyens qui nous furent donnés après Amandine nous permettent de rompre avec les folles cadences des années héroïques. Chacun des actes qui composent la FIVÈTE est soigneusement codifié et sa description comme son résultat sont intégrés à un fichier informatisé. L'accès des patients au laboratoire a été strictement limité pour ne pas perturber notre activité intensive. Personne ne vient plus la nuit rêver sur cet embryon tellement semblable aux centaines d'autres déjà observés dans des tubes identiques. Le replacement de l'œuf dans l'utérus a cessé d'être une cérémonie magique pour devenir seulement un acte technique et les mamans quittent l'hôpital sans montrer leur enfant à ceux qui l'ont conçu neuf mois auparavant.

Me revient en mémoire une question souvent posée à laquelle je n'ai jamais su répondre, quand on me demandait pourquoi tout cela, pourquoi cet engagement total dans l'activité professionnelle.

Il y a bien quelque chose qui ressemble au fanatisme dans cette façon de poursuivre aveuglément ce qu'on avait un jour seulement décidé de tenter ; et de poursuivre malgré, ou à cause, des servitudes imprévues, de l'empiétement sur l'aptitude à vivre, à vivre simplement. Quand toute la vigilance est au service d'un projet, il n'y a plus place pour l'interrogation sur le projet lui-même, plus de possibilité pour le recul serein qu'exigerait une démarche intelligente. C'est ainsi que le chercheur devient une « taupe monomaniaque », selon la formule d'Albert Einstein.

La taupe se distingue du chercheur ordinaire par son état d'enfermement dans le sujet, jusqu'à l'obsession. Je ne crois pas qu'on naisse taupe ou qu'on le devienne définitivement ; il y a une relation directe entre la construction des galeries souterraines et un conditionnement psychologique. Le pataculteur, exilé malgré lui, se devait de faire mieux en devenant éprouveur-inventreur et ne devint taupe qu'à cette occasion qui était grande et belle.

Je ne regrette pas les films que je n'ai pas vus, les romans que je n'ai pas lus, les aventures galantes que je n'ai pas vécues ; cette histoire-là en vaut bien d'autres. Mais quand, sortant de ma taupinière, j'ai ouvert les yeux dans ma maison, j'ai vu que nous avions échappé à ces luxes qui arrivent même aux pauvres : les week-ends aux champs, les rigolades insouciantes avec de bons copains, ou les soirées chaleureuses et profondes, quand on existe entièrement car aujourd'hui est irremplaçable.

Aujourd'hui la taupe est assise sur le monticule qu'elle a fabriqué en creusant ses galeries et, de ses yeux myopes, elle regarde s'envoler l'oiseau fivète. Le monticule est hétéroclite, fait de jours et de nuits dont nul ne peut affirmer s'ils furent gagnés ou perdus, fait d'émotions aussi, de déceptions brutales et de plaisirs violents, d'agressions et de vengeances, d'amitiés profondes et de rivalités animales. Sur le dessus du monticule sont posés les trophées : pêle-mêle, résultats scientifique et médailles, reconnaissance professionnelle et gloriole, et bien sûr ces enfants dont on nous dit les « pères ». Occupée à creuser ses galeries, la taupe, qui n'oubliait pas où elle allait, ne se posait pas la question de savoir pourquoi. De cet éprouvant séjour dessous la terre, d'où on entend bien que les autres vivent, la taupe réapparaît susceptible : n'ayant jamais réellement estimé ce qu'elle pourrait revendiquer au moment du succès, elle est d'abord étonnée du tapage qui survient et, très vite, elle exige comme étant son dû une place de choix dans l'éventail des récompenses. Mais aucune bien sûr ne la satisfait.

Assise sur son monticule, la taupe regarde s'envoler la fivète et s'interroge sur le bel essor de l'oiseau ; est-il né d'une démarche scientifique ou d'une quête empirique ?

Jamais le raisonnement logique ne fut absent de la conception des actes essentiels qui composent aujourd'hui la recette du bébé FIVÈTE. Mais il n'y eut pas que des idées lisses et blanches, puisque la magie rôdait, omniprésente, autour des éprouvettes ; elle a bien dû nous insuffler la vigueur nécessaire pour sauter de temps à autre par-dessus les trous noirs du savoir, jusqu'à rejoindre de nouveaux points forts où ancrer la logique. Et cette logique était souvent différente de celle développée ailleurs : on sait bien qu'il y a plusieurs façons d'être efficace.

La démarche scientifique doit compter avec le doute, avec la chance, avec l'imaginaire. Le chercheur a, lui aussi, la faculté de rêver chacune de ses obsessions, et certains de ses rêves, quand il les confronte à l'implacable logique du raisonnement, ont le parfum d'une vérité possible qui ne pouvait naître ailleurs. Ainsi manifeste-t-il souvent une résistance active à des évidences issues irréprochablement d'acquis parcellaires : les vérités imparfaites des songes lui offrent l'occasion de déployer sa revendication existentielle en marquant le territoire de son empreinte intime.

Souvent je rencontre chez d'autres la sage capacité à utiliser lucidement les jours d'une vie et cette rigueur vitale me remet en cause. Car je dois bien convenir qu'il n'y a pas mieux à faire. Une patiente devenue une amie me dit un jour : « Mais comme tu es toujours sérieux ! Tu ne sais pas t'amuser ? » Et je répondis comme instinctivement : « Si je n'étais pas toujours aussi sérieux, tu n'aurais jamais été enceinte. »

LE CHERCHEUR,
LA MÉDECINE
ET LE PETIT PATIENT

Au lieu de mobiliser et d'activer la capacité du patient à se tirer d'affaire, ou celle de la communauté à le soigner, la magie médicale moderne le transforme en voyeur mou et mystifié.

Ivan Illich,
Némésis médicale

En janvier 1986, Bernard Pons, homme politique, déclarait : « Je m'exprime en tant que médecin. François Mitterrand est florentin dans ses neurones et dans sa moelle épinière. » Comment reconnaître les neurones d'un Florentin de ceux d'un Auvergnat ou d'un Guatémaltèque ? Puisqu'une dissection, même poussée, est incapable de distinguer de telles caractéristiques morphologiques ou biochimiques des neurones ou de la moelle épinière, le sens de cette déclaration est clair. Il est d'affirmer n'importe quoi dont la démonstration ne pourrait être exposée au commun des électeurs, au commun des patients de la politique. Ce serait trop long et trop complexe, il y faudrait au moins sept années ! Qu'il suffise d'entendre que l'homme s'exprime en tant que médecin pour le croire. Et la plupart le croiront davantage qu'ils ne croiraient un boulanger, un sociologue ou un historien. Cette déclaration péremptoire du médecin implique aussi qu'il n'est pas convenable d'être florentin et président de la République à la fois, du moins président de la République française. Pourvu qu'on s'y arrête un instant, la sentence est doublement chauvine et doublement stupide.

Mais s'interroge-t-on seulement un instant sur une déclaration qui commence par « en tant que médecin »... La puissance médicale est aussi dans cette certitude de n'être pas remis en cause.

Qu'est-ce qu'un médecin, braves gens qui souffrez de rhumatismes et vous méfiez des rebouteux ? C'est un universitaire qui peut vous soulager grâce aux drogues appropriées. Et pour vous qu'une grave maladie ronge en dedans, de celles qui peuvent arriver aux autres mais qu'on n'a jamais méritées ? C'est un démiurge à qui on livre sa vie pour qu'il la défende contre le néant. Même pour celui dont le corps mortel est encore indemne, le médecin est le détenteur des savoirs considérables et variés contre le risque d'être ; en lui s'incarnent le droit à la norme, mérité par tout individu du groupe et le droit à l'amélioration de la norme, justifié par l'idéologie commune du progrès thérapeutique.

C'est dire que le médecin, plus qu'un officiant, est investi des pouvoirs reconnus à la médecine, un peu comme un mécanicien le serait des lois de la thermodynamique ou un comptable des théories monétaires. Mieux encore, car le technicien de l' « art médical » est aussi ce confident qui écoute doctement vos secrets d'alcôve, analyse vos relations avec votre belle-mère ou votre patron, bien que rien n'autorise à lui accorder une compétence en ce domaine. Aussi discret et plus rapide qu'un psychanalyste il est en outre garanti par le système et remboursé par la Sécurité sociale.

Si le médecin n'existait pas, nul doute que la médecine l'aurait inventé. Mais la médecine, outre une organisation codifiée, hiérarchisée, la seule éternellement triomphante parmi nos institutions, qu'est-ce au juste ? C'est l'association de savoirs en mouvement produits par des chercheurs et d'un réseau pour la mise en pratique de ces savoirs assurée par des médecins.

Déjà Renan disait : « La science enrichit celui qui met en œuvre, non le véritable inventeur. » En 1984, un quotidien sérieux publiait une courte information à propos d'un nouveau cœur artificiel, le « cœur camembert » mis au point à Marseille. Outre sa petite taille et sa forme bien française, cet organe de substitution était remarquable par sa conception. Le cardiologue marseillais avait en effet inventé un nouveau type de moteur de rendement bien supérieur à celui des moteurs ordinaires. Je ne connais rien de cette invention et de ses acteurs mais j'imagine qu'une équipe de physiciens se cache involontairement derrière le grand cardiologue. La médecine a changé. Fini le temps où, entre deux mourants, tel praticien faisait pousser des champignons parasites sur son balcon ou découpait des cerveaux dans sa cuisine. L'échographie, le laser, les groupes tissulaires, le caryotype, les agents pathogènes, la fécondation *in vitro*, les neurotransmetteurs, la spermiologie, la synthèse d'hormones et de médicaments, les anticorps monoclonaux, la cryopréservation des œufs, etc. sont l'objet de travaux menés par des chercheurs professionnels dans des laboratoires spécialisés. Parmi ces chercheurs, certains, beaucoup, sont des médecins curieux, c'est-à-dire qu'ils ont appris un autre métier qui exige une formation particulière, encore très superficielle dans le cursus médical. Le laboratoire est une école de la rigueur, de la méthodologie scientifique, du contact avec l'objet de la recherche et avec les instruments nécessaires à son étude. On ne devient par chercheur sans cet apprentissage de l'ombre, souvent fastidieux, parfois passionnant, rarement gratifiant. L'administration de la Recherche médicale reconnaît la qualité de chercheur aux professeurs de médecine dont certains ignorent tout de cet autre métier. Les médias propagent cette confusion dans leur éternel souci de faire adorer ou haïr des héros univoques. Le public, lui, ne demande qu'à s'y tromper, préférant croire qu'en rétribuant un acte il s'acquitte complètement d'un service collectif qu'il devine. Quant aux mandarins à la mode, ils acceptent sans complexe de déguster le beurre avec l'argent du beurre.

Et alors dira-t-on, si tous ou presque y trouvent leur compte, où est donc le problème ? Pierre Thuillier a écrit un livre passionnant dont seul le titre est critiquable : *Les biologistes vont-ils prendre le pouvoir ?* Qu'on sache bien que les biologistes n'auront jamais de véritable pouvoir, et cela est bien ; mais on constate que tout progrès significatif de la biologie devient du pouvoir entre les mains médicales, et cela est inquiétant. On l'a déjà dit, la médecine a changé, pas seulement dans son élaboration mais aussi dans sa représentation. Peut-être n'y eut-il jamais de ces « savants » mythiques capables d'embrasser simultanément toutes les disciplines de la connaissance, de ces hommes universels qui soignaient les phtisiques, conversaient avec les mythes, dessinaient des machines pour voler et écrivaient des poèmes. Au moins nous reste-t-il quelques exemplaires d'hommes en blanc aux fortes dimensions de découvreur, d'humaniste et d'artiste, comme Jean Bernard ou Jean Hamburger. La race s'éteint sous la pression des forts en maths, des plus rapides à répondre par un seul mot à des questions d'examen informatisées. La médecine échappe aux humanités pour gagner en efficacité technique. Cette évolution est conforme à celle de la société tout entière, elle accompagne la parcellisation des fonctions dans la machine sociale qui s'emballe pour la lutte au progrès.

Mais alors, comment accepter une permanence des privilèges moraux du médecin? Pourquoi imaginer une soutane sous la blouse blanche du technicien, confondre le serment d'Hippocrate avec une entrée dans d'autres ordres que celui, professionnel, des médecins? Il faut lire ce fameux serment pour mesurer ce qui rapproche la médecine du scoutisme, pour réaliser l'anachronisme qui transforme, en l'espace d'une récitation, un étudiant en un homme qui a pouvoir sur ton corps. Un fonctionnaire assermenté s'engage seulement à dire la vérité, un médecin intronisé par le docteur Hippocrate prétend immédiatement pouvoir faire face à tous les malheurs du corps. Pourtant il y a bien des réponses contradictoires quand un même patient s'adresse à plusieurs praticiens. Où est la vérité scientifique dans la pratique médicale? C'est pour mieux créer la confiance, ou écarter la méfiance, que le médecin croit devoir toujours proposer une solution même si son intervention risque d'aggraver la situation. Il n'y a pas plus de mauvais médecins que de mauvais plombiers. Mais il y en a autant. Pourtant d'avoir affaire au médecin vous fait plus démuni, car il vous manque presque tous les éléments pour exister dans l'entretien et évaluer l'efficacité du spécialiste. Si la fuite d'eau persiste vous changez de plombier, si le mal persiste le « docteur » change le remède. C'est aussi pourquoi les défections de la mécanique humaine inquiètent bien davantage que celles des systèmes domestiques.

Le plus souvent, le médecin soigne et c'est heureux, mais s'il lui arrive d'échouer, par faute évidente, il vous appartiendra de démontrer l'évidence. Alors ne comptez pas trop sur le témoignage d'un confrère, les médecins ont un code d'honneur car ils ont en commun la « grande récitation » d'Hippocrate. Proust avait remarqué que la déontologie consiste aussi à « s'abstenir de critiquer ses confrères ».

Qu'on n'aille pas imaginer que le sort de l'ensemble des médecins s'améliore. Il est des généralistes, ces instituteurs de la médecine, qui émargent avec les chômeurs, et pour beaucoup de spécialistes le progrès médical signifie recyclage permanent plus que mise en valeur de leur statut.

Le pouvoir médical se concentre aujourd'hui entre quelques mains au seuil des laboratoires de recherche. La foule des soldats inconnus de la médecine n'accède à l'usage de l'invention qu'en seconde main, seulement quand un général proche du foyer stratégique a capté toutes les médailles et guette déjà une nouvelle victoire. Celui-là détient quelque temps une quasi-exclusivité de l'innovation. Il lance la pierre philosophale dans l'océan de l'ignorance en veillant bien à être vu ; les ronds dans l'eau médiatique s'élargissent jusqu'aux responsables de l'État et aux gens bien-portants. La vague atteint bien sûr les patients potentiels et la place est bientôt prise d'assaut comme la maison d'un gourou. Dans la cuisine les chercheurs peaufinent leur invention et déjà s'attaquent à d'autres découvertes. Au salon l'officiant trie les postulants et, face à l'abondance, sélectionne les plus reconnaissants.

Il peut arriver que le lieu public où naît la médecine de pointe ne s'ouvre qu'à ceux dont la reconnaissance est indiscutable car matériellement mesurable. Quiconque ne serait qu'admiratif sans en témoigner autrement qu'en apportant sa pauvre chair malade devrait plier bagage pour démontrer sa souffrance à de plus récents ou plus petits sorciers.

Le chercheur ne s'est pas engagé pour produire cette solution-là. Ni les pouvoirs publics. Les mal-vivants ne se sont pas faits patients en connaissance du dossier. C'est seulement après avoir décidé d'être demandeurs qu'ils évaluent la solution proposée.

Les arguments du pouvoir s'incarnent ensemble entre des mains médicales de moins en moins nombreuses : du savoir supposé naît le charisme, de la position stratégique l'électivité, de la pénurie des concurrents le mercantilisme.

Ainsi est récupéré l'investissement collectif pour ce qu'on nomme le progrès, nourri des sacrifices et des illusions de tous les contemporains. Pour faire face il faudrait inventer un contre-pouvoir, un contrôle exercé par des usagers. La chose paraît évidente et simple mais se heurte aux avantages acquis par la profession

médicale, à la puissance politique et idéologique
d'une corporation d'essence désuète dont l'activité concerne l'inquiétude existentielle de chacun.
Car c'est bien grâce à la fragilité des patients
potentiels que, de génération en génération, se
propage le pouvoir médical. Cette fragilité qui
porte à mythifier un professionnel comme aux
temps d'avant les Lumières.

Revenons à nos éprouvettes. La quasi-totalité
des questionnements éthiques sont inspirés par
l'activité du laboratoire ; aucun comité n'a été
sollicité pour donner un avis sur la pratique
médicale, clinique, de la FIVÈTE dans sa réalité
quotidienne. Pour les patients, la FIVÈTE commence (et se termine) dans une relation avec le
médecin, lequel jouit sans entraves du privilège
d'être le recruteur. La non-scientificité des critères d'acceptation est bien démontrée quand le
même couple essuie un refus ici et peut s'inscrire
là, ou quand s'opère la trangression des critères
affichés à l'avantage des postulants les plus for-
tunés ou les plus influents. Dans les centres les
mieux réputés, la demande excède largement les
capacités d'accueil et les couples qui ont passé le
barrage de l'inscription sont acceptés pour un
nombre limité de tentatives dont ils espèrent tirer
le meilleur profit. Ainsi peut-on lire sur le pan-
neau réservé à l'affichage FIVÈTE des annonces
du type : « Échangerais tentative décembre 86
contre avril ou mai 87. » En même temps des
dossiers médicaux tout neufs arrivent comme par
surprise sur le dessus de la pile. La nouvelle face
de la FIVÈTE est celle d'une marchandise qu'on
achète, qu'on échange, qui est irrésistiblement

matérialisée ; on voit bien là que la FIVÈTE s'intègre progressivement dans le fonctionnement normal de notre société.

Quatre ans après la naissance d'Amandine, plus de six cents enfants ont été conçus dans les éprouvettes de trente-deux équipes nationales, mais la FIVÈTE est toujours une activité a-légale : il n'existe encore aucune disposition officielle pour définir les centres, pour les habiliter à cette pratique, pour contrôler la nature et le niveau des activités, pour codifier et indemniser les actes du laboratoire, pour faire connaître, selon les lieux, les conditions d'accès et le taux de succès. Parmi les causes de cette inertie administrative, il faut compter l'opposition du corps médical à toute tentative de limiter sa traditionnelle liberté d'action. Il faudra bien que des centres soient habilités, et ce sera seulement avec l'aval de ceux qui sont certains d'être élus, mais la caution officielle risque d'augmenter encore les pouvoirs locaux si la gestion n'est pas contrôlée. Ces pouvoirs commencent à s'étendre sur le don d'ovule et celui de l'œuf congelé ; ce serait un euphémisme de dire que le don est gratuit si son bénéficiaire était celui qui, parmi les receveurs potentiels, s'acquittait de la meilleure indemnisation pour le médecin recruteur.

La nouvelle médecine, celle par exemple des procréations assistées, n'a donc presque rien à voir avec la médecine traditionnelle. Le savoir y est dilué dans l'équipe, et les activités concernent toute la société, puisqu'elle les finance, puisqu'elle supporte les risques iatrogènes, puisqu'elle s'expose à des dérapages, à des détournements. Le rôle médical doit rester à sa place qui est d'utiliser au mieux une technicité médicale. Souhaitons que se développe un pouvoir éthique, né du consensus, et qui donnerait des orientations au pouvoir politique. Souhaitons que le pouvoir politique soit assez fort pour faire entendre ce langage au pouvoir médical.

IV

AUTOUR DE LA FIVÈTE

Si vaste que soit le champ des possibles, il ne l'est pas encore assez pour proposer à l'homme le peu dont il se serait satisfait.

Jean Rostand,
Pensées d'un biologiste

La méthode de fécondation *in vitro* est aujourd'hui bien connue du public et nous avons choisi d'aborder directement les techniques dérivées de la FIVÈTE. Toutefois, le lecteur trouvera plus loin (p. 169) une description actualisée de la FIVÈTE, version familiale et primitive.

La FIVÈTE a déjà conduit à des développements imprévus quoique prévisibles comme la conservation de l'œuf par le froid, comme le don d'ovule ou d'embryon. Nul ne peut douter que l'extraction de l'œuf hors du corps sera l'occasion de nouveaux artifices dans le but de résoudre des problèmes médicaux. Ainsi le diagnostic génétique pour accéder au plus tôt à l'identité de l'individu, puis à sa normalisation. Je suis convaincu que les autres hypothèses évoquées ici,

même les plus folles, trouveront un jour ou l'autre
raison d'être démontrées. Pour que s'opère le
passage à l'acte, il suffit que puisse se conjuguer la
compétence technique avec deux volontés, celle
de l'expérimentateur et celle du sujet. La volonté
de faire du nouveau est présente chez chaque
chercheur car elle est la raison même de son choix
professionnel. On ne peut jamais estimer *a priori*
que le nouveau soit inoffensif, il n'est apprécié
qu'à l'usage. Mais certains projets apparaissent
d'emblée comme déraisonnables, voire déments.
S'imagine-t-on que les scientifiques ou les médecins sont tous définitivement raisonnables ? Le barrage le plus sûr aux tentations qui naissent des
ambitions individuelles des inventeurs serait l'absence de candidat pour tester l'ultime gadget.
Car l'expérience a montré que l'interdit social,
toujours empreint d'ambivalence, ne suffit pas à
empêcher. Il n'est pas d'acte médiatique qui ne
rencontre simultanément l'opprobre et la considé-
ration, seul varie le dosage de l'un et de l'autre sur
chaque bord de l'énorme indifférence. Ainsi au-
delà de la conscience des techniciens, éclairée s'ils
l'acceptent par l'avis des comités d'éthique, le
véritable barrage contre le n'importe quoi reste la
réticence de n'importe qui.

On sait la mutation introduite dans nos sociétés
industrialisées par le développement technologique récent. En même temps, et à cause de ce
développement, s'est opérée la mutation des aspi-
rations : la revendication n'est plus de satisfaire
les besoins élémentaires mais d'exaucer les désirs
fantasmatiques. Nos parents convoitaient des
choses simples comme une salle de bains ou une
automobile, ils rêvaient de ne jamais plus risquer
d'avoir faim, de voir un jour la mer, la montagne

ou la ville. Nos parents éprouvaient des besoins aujourd'hui dérisoires dont le substitut n'est pas une salle de bains plus grande, une voiture plus rapide ou des voyages plus lointains. Pour la première fois, l'Occident développé ne donne plus à rêver que la quantité. La quantité dans l'ordre du nécessaire et, en conséquence, l'hérésie dans l'ordre du désir. Les besoins traditionnels sont assurés aux plus nombreux, il n'est plus rien ni personne à envier durablement. Le jeu social se calme, nous sommes tous presque égaux devant l'ennui. Quand le chat est ainsi repu, sécurisé, il se couche sur le flanc, le nez entre les pattes, sur le coussin moelleux près du radiateur. Il n'attend rien que la continuité du même.

L'homme ne peut vivre décemment que dans l'espace instable entre des temps dissemblables; c'est de faire la bête ou la plante que meurent les vieux, à bout d'imagination. Il faut bien voir que notre nouvelle condition est sans précédent dans l'histoire et qu'elle ne s'accommodera pas des interdits du passé. Le code où logent les conventions et la morale risque de s'élargir vite pour donner aux vieux fantasmes une chance d'atteindre à la réalité. Ceci peut expliquer par exemple que, en contradiction avec l'hostilité de leurs anciens, un tiers des jeunes de seize à trente-cinq ans se déclarent favorables à la grossesse masculine (sondage IFOP, *Le Nouvel Observateur*, 2 mai 1986). On sait bien que d'être réputé disponible l'objet use le désir, lui échappe. Les désirs communs, j'allais dire vulgaires, cèdent à la complétude des besoins. La mise à mort des fantasmes est de mieux en mieux possible, est de plus en plus éventuelle. A l'instant commence le cannibalisme de l'humain par l'homme civilisé.

LES TECHNIQUES COMPLÉMENTAIRES

Les techniques que l'on peut appeler complémentaires à la FIVETE sont celles qui, profitant de la disposition hors du corps du jeune embryon, interviendront pour augmenter l'efficacité de la méthode dans un but thérapeutique. En outre ces techniques ne prétendent pas connaître ou modifier l'identité de l'œuf obtenu par FIV et ne nécessitent pas l'intervention de tierce personne, étrangère au couple stérile (fig. 5).

Conservation des œufs par le froid

Une de ces techniques, la cryopréservation de l'embryon, a déjà conduit à plusieurs dizaines de naissances. On peut congeler le ou les embryons « surnuméraires » à l'issue de la fécondation simultanée de plusieurs ovules ; on évite ainsi de prendre le risque obstétrical que présentent toujours les grossesses si plusieurs fœtus jumeaux sont présents et les embryons congelés donneront au couple une ou plusieurs chances d'établir la grossesse ultérieurement. Puisque le développement embryonnaire est stoppé par le froid, l'embryon peut être « rendu » ultérieurement au couple ayant produit les gamètes (par transfert dans l'utérus de la femme) mais il peut aussi être donné à une autre femme.

Le protocole de congélation est adapté à chaque espèce à partir des mêmes principes généraux : il s'agit d'éviter la formation de cristaux de glace dans la cellule pour ne pas endommager les structures intracellulaires et la membrane ; pour cela, la cellule doit subir une déshydratation relativement rapide qui est fonction de la vitesse de refroidissement. Surtout, l'utilisation de substances dites cryoprotectrices (dont le glycérol est la plus connue parce qu'il convient à la congélation des spermatozoïdes humains) limite largement la formation de cristaux de glace dans les cellules embryonnaires.

La méthode que nous utilisons en France est directement inspirée de celle mise au point par J.-P. Renard pour congeler l'œuf de plusieurs espèces animales et utilise le propanédiol. Son avantage par rapport aux techniques déjà connues est qu'elle est plus efficace pour congeler les embryons très jeunes (un ou deux jours après la fécondation plutôt que trois à cinq jours) et que ce protecteur est réputé non toxique pour l'œuf. Nous avons obtenu des naissances en restituant à l'utérus des œufs congelés avant même la première division de segmentation, soit un jour seulement après l'insémination *in vitro*. Grâce à la méthode française, qui commence à s'imposer dans la plupart des pays, il n'est pas nécessaire de cultiver l'œuf à congeler au-delà de la durée habituelle en FIVÈTE ; ainsi peut-on éviter l'effet défavorable des cultures longues sur la survie de l'embryon. La décongélation est opérée rapidement puis on procède à la dilution progressive du cryoprotecteur qui permet la réhydratation des cellules, lesquelles retrouvent leurs caractéristiques initiales.

La congélation des embryons est l'occasion d'un bond quantitatif de l'efficacité de la FIVÈTE. Déjà trois embryons sur quatre survivent à cette épreuve ; la fécondation simultanée de cinq ovules et le transfert un à un des œufs au cours de cycles successifs devraient conduire à la naissance d'un enfant au moins une fois sur deux. C'est-à-dire que, rapportée au cycle de fécondation, l'efficacité de la FIVÈTE serait supérieure à celle de la fécondation naturelle. On voit donc que le recueil de nombreux ovules de qualité et la cryopréservation des embryons sont aujourd'hui les deux mamelles de la FIVÈTE.

Il n'existe pas de limite biologique connue pour la durée de conservation d'un embryon (dix ans ? un siècle ? plusieurs siècles ?) mais le problème de statut juridique de l'œuf en hibernation a justement été soulevé. C'est pourquoi nous avons résolu de réduire au minimum cette période : un à six mois, plus un « bonus » d'un an par grossesse menée à terme.

Bien qu'actuellement seulement trois œufs humains sur quatre résistent aux épreuves de la congélation, on constate que ces œufs sont souvent capables d'évoluer jusqu'à la naissance après leur transfert dans l'utérus, vraisemblablement plus souvent que leurs frères non soumis à la congélation. L'explication est éventuellement à deux niveaux. On peut penser que seuls les embryons aptes au développement résistent à la congélation-décongélation, d'où une sélection de ceux qu'on transplante dans l'utérus : ce sont ceux dont une faible proportion, et le plus souvent aucune, des cellules n'a été détruite ; d'autre part, le transfert *in utero* des embryons décongelés prend place au cours d'un cycle féminin naturel ou très peu modifié : exempt de perturbations artificielles induites, ce cycle pourrait être plus propice à l'accueil de l'embryon. Ces observations récentes, si elles sont confirmées, vont amener à une révision de la pratique actuelle du transfert immédiat de trois embryons. Il devrait apparaître bénéfique de transplanter un seul embryon dans le cycle FIV et de congeler tous les autres. On pourrait alors procéder au transfert des embryons congelés, un à un, au cours de cycles successifs. En effet la grossesse n'est établie que deux fois plus souvent si on transplante trois ou quatre embryons simultanément plutôt qu'un seul. Car le résultat de chaque transfert dépend de la combinaison de la qualité intrinsèque de l'œuf d'une part et de la préparation de l'utérus à le recevoir d'autre part.

Un aspect très important de la congélation de l'œuf humain est l'évaluation du risque de malformations induites par cette technique. En fait les dégâts éventuels affectent des cellules entières qui peuvent éclater ; on sait que, mieux que l'œuf des animaux, l'œuf humain est capable de développement normal après la perte naturelle de la moitié de ses cellules. La fréquence de vrais jumeaux est exceptionnellement élevée chez l'homme ; or ceux-ci sont la conséquence d'une duplication précoce de l'œuf, chaque moitié évoluant indépendamment de l'autre. Rien n'autorise à penser que la qualité du nouveau-né puisse être affectée par la congélation : ou bien l'œuf est capable de réguler cette disparition de cellules toutes semblables entre elles et il peut survivre, ou bien il n'est pas capable de régulation et il meurt. Comme nous l'avons dit plus haut, il semble que la résistance à la congélation soit actuellement un critère, et peut-être le seul, permettant d'estimer la viabilité de l'œuf humain.

Il peut arriver qu'à l'occasion de la naissance d'un enfant, le couple « abandonne » un embryon surnuméraire congelé au profit d'un autre couple stérile. La technique intermédiaire de cryopréservation présente deux avantages pour le don d'embryon : elle permet de faire coïncider l'âge de l'embryon avec la période adéquate du cycle menstruel de la receveuse (en décidant du moment de réchauffement de l'embryon à partir duquel le développement reprendra); de plus elle est favorable à l'anonymat du don puisque les couples « donneur » et « receveur », séparés par le temps, ne se rencontrent pas. J'ai proposé de nommer ATOU (adoption par transfert de l'œuf dans l'utérus) le plus récent bébé de la FIVÈTE.

Il se pourrait bien que, parmi toutes les innovations qu'on regroupe sous le terme de « procréation assistée », l'adoption d'un embryon soit la seule qui ait des vertus morales indiscutables. L'ATOU permettrait d'éviter l'évolution de certains pays pauvres en producteurs d'enfants adoptables en créant une réponse aux demandes d'adoption insatisfaites dans les pays développés. Elle optimiserait les conditions de l'adoption en insérant l'enfant dans sa famille neuf mois avant même la naissance. L'ATOU développerait un bénéfice social à partir d'actes sophistiqués qui ne s'adressent encore qu'à des individus. Enfin, et ce n'est pas le moindre, l'ATOU pourrait contredire la mystique génique qui tend à se généraliser. Du « bébé-Nobel » à l'exigence de transmettre ses propres gamètes, fût-ce au prix d'acrobaties sans fin, on oublie de plus en plus que l'enfant de l'homme est le reflet des hommes qui l'élèvent, pour le réduire au pur produit d'une arithmétique des gènes.

Une évidence mérite ici d'être soulignée : depuis qu'on sait différer le développement de l'œuf humain, il n'existe plus d'embryons « surnuméraires », car chaque œuf est l'occasion d'une chance supplémentaire d'obtenir la grossesse ultérieurement. Grâce à la cryoconservation l'œuf est épargné, au double sens du respect et de l'économie : l'œuf est sauvé, le couple thésaurise. Aussi, sauf à abuser de la confiance des patients (éventuellement en obtenant leur consentement « libre et éclairé »...) ou à disposer d'une source d'ovocytes hors FIVÈTE, il est devenu presque impossible de tester l'efficacité des techniques dont il est question plus loin. L'œuf préservé sera le plus souvent restitué au couple géniteur, ou à un couple étranger demandeur de l'ATOU. La destruction de l'œuf ne devrait arriver que si l'une de ces solutions ne rencontre pas l'accord unanime des parents géniteurs que nous considérons comme les tuteurs de l'œuf épargné.

Par ailleurs, on a beaucoup dit qu'il faut définir un statut pour l'œuf humain hors du corps. Il doit être en effet possible d'élaborer un statut juridique, c'est une question seulement de règles convenues, et dont il faut convenir au plus tôt. Mais concernant l'état même de l'œuf dont le développement est stoppé par le froid intense, que pouvons-nous dire ? Sur quel mode économique s'opère la conservation de cette matière humaine éventuellement jusque après la disparition des mémoires parentales ? On connaît des systèmes naturels capables de différer le devenir d'un individu ; ainsi les graines végétales découvertes dans les tombes égyptiennes sont susceptibles de germer aujourd'hui, ainsi chez des mammifères sauvages, comme le blaireau ou certaines chauves-souris, l'œuf fécondé subsiste à l'état quiescent dans l'utérus pendant plusieurs mois, ainsi l'hibernation des animaux adultes pendant la saison froide. Il s'agit là d'un ralentissement extrême des processus vitaux : l'être est figé, il paraît privé de toute relation avec le dehors. Mais il perd. Sa matière se dépense par la chimie élémentaire de la respiration cellulaire. L'être perd, donc il vit. On admet que l'œuf congelé ne consomme rien, ne dépense rien, n'existe en rien biologiquement. On admet sans oser le dire que l'œuf congelé est un être momentanément mort. Ainsi l'homme aurait appliqué à sa propre substance une nouvelle phase biologique, la phase de la vie suspendue. Pour le juriste la tâche serait donc, pour la première fois, d'élaborer un statut de l'individu non vivant en promesse de vie. Pour le philosophe elle est, pour la première fois, d'intégrer dans les systèmes de représentation un être apparemment anéanti mais capable encore d'existence. Pour le biologiste le problème est plus ardu encore : la vie était dans les gamètes qui l'ont perpétuée par l'œuf, elle sera d'évidence dans l'embryon réchauffé s'il a sur-vécu. La transition de la vie en la vie par le détour du gel où ne régnerait que la mort est une énigme vertigineuse. Même le physicien n'expliquera pas ce non-mouvement perpétuel qui s'empare de la cellule pour la placer hors du temps et de l'énergie. L'homme aurait inventé la résurrection contrôlée en plaçant son petit dans les limbes. En fait un métabolisme infime doit parcourir l'œuf tant que la température du zéro absolu n'est pas atteinte : le ballet des électrons peut bien cesser à -278 °C, ils dansent encore à -196 °C. L'œuf s'use dans l'azote liquide et c'est bien rassurant.

On entend dire partout que la conservation de l'ovocyte non fécondé serait éthiquement mieux acceptable que celle de l'embryon car on pourrait réserver pour plus tard le choix du sperme fécondant, et on disposerait d'une réserve de gamètes féminins symétrique des banques de sperme déjà existantes. Cependant l'expérience acquise chez l'animal montre que l'ovule survit plus rarement que l'embryon aux épreuves de la cryopréservation et peut surtout être modifié dans son identité par cette technique. L'ovule est une cellule singulièrement fragile puisque les chromosomes sont, à ce moment, libres hors du noyau : on imagine que les chocs osmotiques, lors du refroidissement comme du réchauffement, peuvent induire une dispersion chromosomique, à l'origine d'anomalies graves, ou perturber les éléments du squelette cellulaire. Nous menons actuellement une expérimentation chez l'animal dans le but de congeler l'ovocyte au moment où il contient encore un noyau qui protège le patrimoine génétique, soit environ vingt heures avant l'ovulation. La maturation de l'ovocyte jusqu'au stade de l'ovule mûr serait réalisée *in vitro* seulement après la décongélation, soit juste avant la fécondation.

Même si la congélation de l'ovocyte devient efficace et exempte de risques pour l'enfant, je ne crois pas qu'il soit souhaitable de créer des banques de gamètes féminins comme il en existe pour les spermatozoïdes. Le don d'ovule nécessite un acte chirurgical, contrairement à la masturbation et ne peut être banalisé : l'ovule est toujours recueilli par effraction. La seule justification à la congélation de l'ovocyte concerne des femmes ne disposant pas encore de partenaire et qu'une maladie grave expose à un traitement médical pouvant entraîner la stérilité.

Il me semble que la position actuellement majoritaire (mieux vaut congeler l'ovocyte que l'œuf) reflète la déviation de la réflexion éthique

vers le dogme religieux, lequel reconnaît déjà en
l'œuf la personne humaine. Respecter la personne
humaine, c'est honorer dans les conditions les
plus favorables la demande des hommes et des
femmes, c'est donner aux parents la meilleure
information, leurs meilleures chances de succès
dès la décision de tenter avec eux de résoudre leur
problème. La théorie qui fait glisser l'objet du
respect depuis la personne constituée vers la
personne en germe est pour le moins contestable.
De plus, le dogme ne dit pas à quel stade de la
fécondation apparaît la personne. Est-ce dès l'ac-
colement du spermatozoïde à la membrane de
l'œuf, ou juste après sa pénétration, ou encore
quand un noyau masculin fait face à un noyau
féminin, ou seulement quand se marient les deux
patrimoines génétiques? L'opinion des biologistes est qu'un nouvel être n'est constitué qu'à
l'occasion de cette dernière phase, quand le
masculin s'enchevêtre intimement et de façon
indissociable avec le féminin. Alors seulement
apparaît un individu unique et imprévisible.
Encore peut-on envisager une définition plus
restrictive qui ne reconnaîtrait l'existence d'un
nouvel être qu'après l'expression chimique du
message génétique composite; celui-là ne serait
signifié que deux ou trois jours après la pénétration du spermatozoïde. La preuve que l'œuf
peuplé de deux noyaux n'est pas un nouvel être
est qu'on peut échanger l'un ou l'autre de ces
noyaux contre un noyau étranger de même sexe et
créer ainsi un individu différent de celui qui serait
advenu. L'empêchement de l'appariement, au
stade des deux pronucléi, serait un coït inter-
rompu au niveau cellulaire. Ainsi le projet
d'enfant, mais seulement le projet, se trouve

emballé dans la substance de l'œuf fécondé quand le binôme nucléaire masculin-féminin est constitué ; la réalisation d'un nouvel individu est différée, pour quelques heures naturellement ou pour plusieurs années, par l'artifice du froid. C'est donc le projet, et non une personne, qui peut être ainsi conservé. Ne pas reconnaître la personne en cet œuf-là ne permet pas de le réduire à une cellule banale. L'œuf n'est venu dans le système *in vitro* qu'avec la souffrance et par l'espoir. Si l'homme n'est pas dans l'œuf, il veille au-dehors, il est autour déjà.

La sémantique biologique n'a pas été conçue pour le débat éthique. Proposons de nommer « préembryon » cette alliance possible de deux germes qu'est l'œuf aux deux noyaux. La structure même du préembryon le fait résistant à l'épreuve du froid, nous l'avons démontré. Si la conservation de l'œuf par le froid est la mise en attente obligée d'un projet d'enfant, et puisque le préembryon est la forme concrète du projet en suspens, c'est bien cette structure-là qu'il va falloir conserver. Conserver et respecter car, avant même d'être une personne, le préembryon est le lieu minuscule où tergiversent deux désirs. Ainsi peut-on éviter la création des banques d'ovules dont le danger est qu'elles soient approvisionnées de décisions individuelles hors un projet d'enfant, hors la justification thérapeutique. Ainsi peut-on éviter la création de banques d'embryons singuliers que certains considèrent comme des personnes dont le devenir mériterait alors une impossible garantie.

Duplication artificielle des œufs segmentés
Une autre technique complémentaire à la FIVÈTE serait la création de vrais jumeaux par

division du jeune embryon en deux hémiembryons, tous deux capables d'un développement
normal. Cette manipulation de l'œuf (duplication provoquée) n'est que la reproduction volontaire de ce qui arrive naturellement dans au
moins quatre pour mille grossesses humaines,
celles qui conduisent à la naissance de vrais
jumeaux. La méthode, d'abord décrite chez la
souris, a été utilisée avec succès chez les ovins et
les bovins.

Les expériences portent sur de très jeunes
embryons (deux cellules) aussi bien que sur des
embryons au stade qui précède juste l'implantation (blastocyste, soit environ cent cellules). Il
s'agit d'extraire l'embryon de son enveloppe (zone
pellucide) puis, sous contrôle du microscope et à
l'aide d'instruments adaptés (micromanipula-
teurs), de séparer en deux amas équivalents les
cellules embryonnaires ; chacun de ces amas cellulaires est ensuite réintroduit dans une zone pellucide (éventuellement étrangère à l'espèce) et la
naissance de deux vrais jumeaux normalement
constitués est fréquente si les embryons sont
transplantés dans l'utérus d'une femelle-hôte.
Cette technique atteint 90 % d'efficacité chez les
bovins et il est raisonnable de croire qu'il en serait
de même dans l'espèce humaine ; la fréquence
élevée de vrais jumeaux révèle une aptitude
exceptionnelle de l'œuf humain à réguler son
développement après duplication spontanée.
L'intérêt médical d'adjoindre à la FIVÈTE cette
technique serait d'augmenter les chances de grossesse en transplantant dans l'utérus deux
embryons plutôt qu'un seul. Un autre intérêt,
scientifique aujourd'hui et médical à terme, serait
de pouvoir analyser sous différents aspects (struc-

tural, cytogénétique...) l'hémiembryon, frère jumeau de celui qu'on place dans l'utérus : cette stratégie serait donc l'occasion privilégiée de comprendre la part qui revient à la « qualité » de l'embryon dans les échecs de la FIVÈTE. Il ne faut pas considérer la duplication embryonnaire comme une technique de clonage, car le nombre d'individus identiques obtenus par cette technique est presque toujours limité à deux : les duplications successives à partir du même embryon ont un succès presque nul dès qu'on répète deux fois l'opération ; dans chaque cellule l'embryon reconstitué, le noyau est toujours de même taille alors que le volume du cytoplasme diminue jusqu'à ce que soit atteint un rapport entre ces deux compartiments incompatible avec l'activité normale de la cellule.

Techniquement très simple, la duplication artificielle de l'embryon humain n'a pas encore été réalisée (ou du moins n'a fait l'objet d'aucune communication) par suite de réticences éthiques compréhensibles. D'une part, toute altération même minime de l'aptitude d'un embryon à se développer pose problème quand il s'agit d'un œuf humain. D'autre part, la connaissance par un enfant du sacrifice de son double risque d'hypothéquer la représentation de son identité comme il est connu des psychanalystes chez les sujets ayant eu un jumeau mort-né. Au cas où l'un des hémiembryons serait conservé par le froid, on frémit à l'idée de l'application chez l'homme d'une belle expérience animale : une brebis a ainsi pu assurer la gestation et l'allaitement de sa propre sœur jumelle. L'hémiembryon pourrait aussi fournir des pièces de rechange à son jumeau abouti, comme nous le verrons plus loin.

Injection du spermatozoïde dans l'ovule

Dans les cas où le sperme est très déficient, on peut envisager d'injecter directement un spermatozoïde sous l'enveloppe (zone pellucide) de l'ovule. Nos travaux menés avec Bruno Lassalle sur l'animal montrent que la fécondation normale peut être ainsi obtenue. La technique est réalisée sous contrôle du microscope, à l'aide de petits instruments adaptés, et le spermatozoïde est placé directement au contact de la membrane cytoplasmique de l'ovocyte avec laquelle il fusionne immédiatement. Cette méthode pourrait concerner des hommes dont les gamètes normaux sont très rares ou quand des anomalies de mouvement empêchent les spermatozoïdes de traverser les enveloppes ovulaires. Cependant, au stade expérimental actuel, on ignore encore l'efficacité d'une telle technique et surtout à quel type précis de spermatozoïde elle peut s'appliquer. Le choix délibéré du spermatozoïde n'est pas un acte innocent car il pourrait exister des mécanismes naturels de sélection du gamète fécondant parmi l'ensemble de ceux qui entourent normalement l'ovule. En court-circuitant ces mécanismes on risquerait d'augmenter la fréquence des anomalies du zygote. Cette hypothèse ne repose sur aucun élément de preuve mais nous a conduit, sur la recommandation du Comité national d'éthique, à poursuivre l'expérimentation animale avant d'envisager d'appliquer la méthode à l'homme.

LES VARIANTES DE LA FIVÈTE

Sous ce titre sont regroupées non des techniques originales mais des modalités d'utilisation de la FIVÈTE qui, pour conduire à la naissance de l'enfant, font intervenir temporairement une femme ou un couple étrangers. Il existe dans cette voie un nombre élevé de combinaisons possibles puisqu'on peut « jouer » à la fois sur l'origine génétique de l'enfant (la famille sociale compte les deux, un seul ou aucun des géniteurs) et sur son origine utérine (la mère sociale a porté ou non l'enfant au cours de la vie prénatale). La figure 6 montre quelques exemples de ces « variantes ».

Le don d'ovule

Quand l'ovule ne peut être obtenu chez la femme du couple demandeur (absence d'ovaires, troubles de la croissance folliculaire, ovaires non abordables par chirurgie, etc.), voire quand cette femme est porteuse d'une grave anomalie héréditaire, l'ovule peut être donné par une autre femme. Un tel don peut s'effectuer à l'occasion du cycle FIVÈTE d'une patiente, si de très nombreux ovules sont obtenus, ou requérir une intervention spécifiquement motivée par le don. La première situation est toujours délicate car, même quand six ou huit ovules sont recueillis, on risque de n'obtenir la fécondation ou la grossesse qu'avec celui qui a été soumis à un sperme étranger. C'est d'ailleurs ce qui est arrivé à Melbourne où la donneuse (incluse dans un programme FIVÈTE) n'a pas été enceinte de quatre de ses embryons, tandis que la receveuse du cinquième a mis au monde un enfant en novembre 1983. C'est pourtant ce que proposent parfois les patientes FIVÈTE opérées simultanément et il s'agit alors d'une promesse d'échange d'ovules de façon à augmenter les chances réciproques des deux couples. L'autre éventualité est celle du don délibéré d'ovule, comme il arrive avec le don du sperme ; mais le recueil de l'ovule est bien plus contraignant que celui du sperme, puisqu'il oblige la donneuse volontaire à subir les mêmes épreuves et les mêmes risques que les patientes FIVÈTE. En pratique, le don d'ovule va s'insérer dans les programmes FIVÈTE selon des règles qui devraient être voisines de celles qui régissent le don du sperme dans les CECOS (Centres d'études et de conservation du sperme). Ces règles sont à la fois de type relationnel (anonymat et gratuité) et biologique (caractères physiques similaires de la donneuse et de la receveuse). Puisqu'il n'existe pas d'ovules disponibles pour le don, il appartient au couple demandeur de présenter une femme qui accepte de donner des ovules, après cependant avoir eu l'expérience de la maternité. La donneuse est le plus souvent une sœur ou une amie. C'est seulement à l'issue de plusieurs entretiens psychologiques pour chacun des intéressés, et du bilan médical habituel (augmenté du caryotype de la donneuse), qu'est prise la décision de donner suite à la demande. Toutefois, la possibilité du don d'ovule entre des personnes de connaissance est exclue d'emblée, pour que soit préservé l'anonymat. Dès le recueil des ovules de la donneuse, ceux-ci sont fécondés avec le sperme du conjoint de la femme receveuse, préalablement choisie comme biologiquement compatible. Les œufs fécondés sont congelés jusqu'à leur transfert dans les meilleurs délais. La question de l'anonymat apparaît particulièrement importante dans notre société où les considérations génétiques sont privilégiées, exacerbées. Puisque les couples veulent presque toujours faire « leur » enfant, même au prix d'une médicalisation croissante, on imagine

mal de les aider à faire l'enfant d'un autre qui leur
serait connu. Du côté de la donneuse on doit aussi
compter avec le sentiment de propriété à l'égard
d'un enfant qui se développerait chez un couple
connu.

Le don d'embryon

Une autre situation est le don, d'un couple à un
autre, d'un embryon « surnuméraire » issu de la
FIVÈTE. D'un point de vue biologique, il s'agirait alors d'une adoption anténatale puisque
l'enfant ne porterait aucunement les caractères
génétiques de ses parents adoptifs. Cette situation
ne peut être concrétisée qu'après la naissance d'un
enfant chez le couple donneur ou l'abandon de
son projet. Aussi le don d'embryon passe-t-il par
la congélation et conduit-il à l'ATOU que nous
avons évoqué précédemment.

Le prêt d'utérus

La dernière situation illustrée (fig. 6) est celle
du « prêt d'utérus », quand l'utérus de la future
mère est absent ou malformé. Cette alternative
implique l'intervention d'une autre femme,
volontaire, pour assurer le déroulement complet
de la grossesse, et qui remettra l'enfant, dès sa
naissance, aux parents génétiques. La pratique
des mères porteuses après insémination artificielle
a été largement évoquée ailleurs ; des critiques
analogues peuvent être faites si l'œuf a été fécondé
in vitro et est donc génétiquement étranger à la
femme qui le porte. C'est sur la question des
mères porteuses que le Comité national d'éthique
a produit un de ses avis les plus défavorables ; on
sait pourtant que cette pratique est de plus en plus
courante. Cet exemple illustre bien le danger de

marginalisation de l'instance éthique nationale si
sa fonction d'élaboration n'est pas relayée par des
structures exécutives.

Dans toutes ces situations, qui requièrent le
recueil d'un ovule chez une femme et le transfert
de l'embryon chez une autre femme, se pose le
problème de la synchronisation physiologique de
deux organismes féminins ; l'embryon ne se déve-
loppera que s'il est placé dans un utérus dont
l'état de maturité concorde avec son âge. Il est
possible de provoquer la synchronisation des
cycles de deux femmes par des traitements hormonaux adaptés, mais cette situation, peu favorable sur le plan physiologique, présente un incon-
vénient majeur : il est difficile de préserver l'anonymat entre « géniteur » et « porteur » quand ils
sont présents simultanément dans le même service
médical. La cryopréservation des embryons permet de remédier à ces deux difficultés.

On notera que des situations analogues peuvent
être réalisées à l'occasion de la fécondation interne
sans l'intervention de la FIVÈTE : l'insémination
de la femme donneuse avec le sperme du futur
père est génétiquement un don d'ovule si l'œuf
fécondé est recueilli dans l'utérus de la donneuse
et transplanté dans celui de la mère adoptive.
Cette méthode, qui permet de faire naître chaque
année des dizaines de milliers de veaux de haute
qualité génétique, a déjà été utilisée pour l'homme
aux États-Unis. Son risque, par rapport à la
FIVÈTE, est que si l'œuf n'est pas retrouvé à
l'occasion du lavage de l'utérus, la tentative peut
se terminer par une IVG pour la femme donneuse.
Le prêt d'utérus hors FIVÈTE correspond à la

même manipulation que précédemment, mais l'œuf est laissé en place et c'est la donneuse d'ovule qui porte l'enfant jusqu'au terme. Les parents sociaux ne peuvent être en même temps les parents génétiques que si les deux femmes impliquées (mère utérine et mère adoptive) sont de vraies jumelles, comme il est arrivé en France. La pratique des « mères porteuses » est depuis toujours connue car elle ne nécessite aucunement une intervention médicale. Ceci est évident s'il y a relation sexuelle mais reste possible aussi en cas d'insémination artificielle : l'introduction de sperme dans le vagin au moment favorable est techniquement à la portée de n'importe quel couple (ou de n'importe quelle femme seule). La sollicitation croissante de l'intervention médicale induit la mutation de pratiques individuelles en pratiques institutionnelles. C'est cette mutation qui nourrit justement les inquiétudes éthiques.

LES TECHNIQUES D'IDENTIFICATION ET DE CORRECTION

La disposition de l'œuf hors du corps ouvre un nouveau champ de recherches dont les conséquences sociales peuvent être considérables. Il s'agit de découvrir au plus tôt l'identité du conceptus afin de lier son sort à une appréciation conjoncturelle de la normalité ou à l'expression d'un choix qui transcende le désir d'enfant.

Diagnostic génétique
La FIVÈTE permet d'envisager l'analyse chromosomique de l'embryon, effectuée avant son transfert dans l'utérus à partir du prélèvement

d'une ou de quelques cellules. On sait depuis longtemps établir ainsi le caryotype d'un fœtus par l'étude des cellules libres du liquide amniotique. Cet examen ne pouvant être effectué que vers le milieu de la grossesse, il peut déboucher sur l'avortement thérapeutique, qui n'est admis que dans les cas d'anomalies graves. Récemment un diagnostic plus précoce (vers six semaines) a été proposé à partir de cellules prélevées directement dans le chorion (enveloppe externe de l'embryon).

Dans les cas d'anomalie héréditaire dépistable par analyse chromosomique, le diagnostic, effectué directement sur l'embryon (voir fig. 7), conduirait soit à son transfert, soit à son élimination. Il faut préciser que la méthode n'est pas réellement au point, les échecs dans la réalisation du caryotype du jeune embryon, animal ou humain, restant trop fréquents. Il faudrait aussi s'assurer d'une cryopréservation efficace de l'embryon pendant la période d'établissement du caryotype.

Bien évidemment, chaque caryotype livrera en même temps le sexe de l'embryon et on peut envisager que la FIVÈTE devienne l'occasion de sélectionner parmi les œufs à transplanter celui ou ceux qui correspondent au sexe désiré, en dehors de toute pathologie parentale. Le choix de la FIVÈTE pour créer un enfant qui soit garçon ou fille se fera d'abord dans les cas où existe un risque important de maladie héréditaire liée au sexe. Certains grinceront des dents au cours des préparatifs, tandis que tous applaudiront quand interviendra la prouesse biomédicale ; immédiatement se posera la question de l'utilisation de cette méthode pour des motifs non justifiés médicalement ; un grand débat s'ouvrira au cours duquel de belles phrases seront prononcées qu'il faudra conserver dans nos bibliothèques pour régaler les générations futures : d'un côté la liberté de choisir, de l'autre la sujétion au hasard ; le débat n'est-il pas dépassé avant d'avoir lieu ?

Correction génétique

Contrairement aux techniques précédemment décrites, les manipulations génétiques sont destinées à modifier l'identité même de l'œuf. Là encore, la FIVÈTE fournit l'occasion potentielle d'une intervention efficace ; plutôt que d'injecter une information génétique à un individu adulte composé de milliards de cellules (comme dans l'expérience de M. J. Cline en 1980), on peut l'injecter directement dans la cellule originelle (l'œuf fécondé) pour qu'elle s'incorpore au matériel génétique commun à toutes les cellules de l'organisme en développement. Les premiers résultats spectaculaires ont été obtenus par R. Brinster et R. Palmiter, en 1982 : ces biologistes américains ont réussi à injecter dans le pronucléus mâle (noyau issu du spermatozoïde fécondant) d'un œuf de souris juste fécondé, le gène codant pour la production de l'hormone de croissance du rat. L'embryon, transplanté ensuite dans l'utérus d'une souris, donne naissance dans les cas favorables à des souris qui atteignent deux fois la taille d'une souris normale. L'œuf « disponible » à l'occasion de la FIVÈTE représente la cible idéale pour la correction d'une maladie génétique et, de plus, pour l'éradication de cette maladie dans la descendance de l'individu ainsi modifié. Il reste à démontrer l'efficacité des techniques de génie génétique : on est encore dans l'incapacité de contrôler l'activité d'un gène ainsi injecté qu'il faudrait pouvoir mettre à sa meilleure place, dans le chromosome. Ainsi la plus grande taille des souris « transgéniques » qui approche celle du rat n'est pas la conséquence directe de l'origine du gène greffé (rat) mais est due à l'absence apparente de régulation dans la production d'hormone de croissance, libérée à des concentrations des centaines de fois plus élevées que chez des animaux normaux. Une autre manifestation du mauvais contrôle de la correction génétique est la stérilité fréquente des animaux ainsi traités. Cependant les progrès rapides du génie génétique permettent de prévoir une véritable maîtrise du transfert de gène à très court terme en opérant une substitution de gènes plutôt que leur addition.

Comme les autres cette technique sera appliquée : comment ne pas suppléer à une déficience qui ferait de cet enfant un malheureux ? Puis se posera le problème de la définition des « maladies » qui légitiment le recours au génie génétique, et la liste de ces maladies s'allongera au fur et à mesure que la technique se fera plus performante et qu'on s'accoutumera à considérer la manipulation comme un nouveau remède. Le diagnostic génétique est parfois présenté comme une façon d'éviter de recourir à la manipulation du génome : pour les anomalies transmises avec la fréquence la plus élevée, seulement la moitié des embryons sont atteints et la reconnaissance des embryons normaux rendrait inutile la modification de leurs frères. Il est évident que les catégories d'anomalies pouvant justifier l'avortement sont d'autant plus étendues que, l'examen étant plus précoce, l'interruption de la grossesse est socialement et médicalement mieux acceptée.

Dans ces conditions qu'en serait-il si le diagnostic précède l'établissement de la grossesse ? On imagine encore difficilement que la FIVÈTE devienne une façon habituelle (obligatoire ?) de se reproduire pour que le couple, ou la société, puisse procéder dès l'origine à l'élimination des indésirables ; en revanche on peut s'attendre à ce que, dans le but d'un tel diagnostic, la FIVÈTE devienne acceptable pour des couples « à haut risque », en particulier quand on craint la naissance d'un enfant porteur d'une anomalie héréditaire.

LES PERVERSIONS DE LA FIVÈTE

Contrairement aux exemples décrits précédemment, il pourrait arriver que la méthode FIVÈTE soit détournée de son but initial, qui est de permettre à un couple stérile d'avoir un enfant, ou de son utilisation éventuelle pour assurer, dès la conception, la conformité de l'enfant à venir. Dépourvues de justification médicale, ces perversions de la FIVETE seraient motivées soit par une structure de parenté différente de la famille conventionnelle, soit par un projet politique, économique, esthétique, etc.

Nous en donnerons quelques exemples schématisés à la figure 8.

La fécondation de l'ovule par l'ovule

On peut imaginer qu'un couple homosexuel souhaite « faire » un enfant ensemble, c'est-à-dire un enfant qui ne serait pas celui de l'un ou de l'autre des partenaires mais le produit génétique des deux partenaires à la fois, comme il arrive dans un couple hétérosexuel. Ce couple serait nécessairement féminin, car seul l'ovule dispose des réserves et de l'équipement métabolique capables d'assurer le début du développement ; de plus la combinaison de deux génotypes masculins ne semble pas viable. Il s'agirait de recueillir un ovule mûr chez chacune des deux femmes et de provoquer *in vitro* la fusion de ces deux gamètes, comme un ovule fusionne avec un spermatozoïde. On obtiendrait un œuf fécondé de génotype féminin qu'on pourrait replacer dans l'utérus de l'une ou l'autre des partenaires. (La disposition de plusieurs ovules ou la duplication de l'embryon autoriserait le déroulement simultané de deux grossesses.) L'expérience a été faite chez la souris en 1977 (P. Soupart) : la fusion de deux ovules était obtenue, après suppression de l'enveloppe ovulaire (zone pellucide), par l'action d'un virus inactivé et l'œuf se développait en culture *in vitro* pendant quelques jours. Une des difficultés rencontrées fut la réinsertion de l'embryon à l'intérieur d'une zone pellucide avant le transfert *in utero* ; les progrès des techniques de micromanipulation sur les œufs de mammifères ont supprimé cette difficulté. Cependant malgré d'autres tentatives, par plusieurs équipes, aucune naissance n'a encore pu être obtenue de cette façon. Il se pourrait que seul le mariage d'un spermatozoïde et d'un ovule soit capable de conduire à un développement embryonnaire normal, comme si l'œuf devait contenir deux noyaux de sexe opposé. Certains verront là une belle revanche des lois naturelles sur nos projets pervers... jusqu'à ce que cette loi aussi n'en soit plus une...

L'autoprocréation féminine

Et si la FIVÈTE permettait à une femme d'avoir un enfant qui soit exclusivement sa fille génétique ? Un spermatozoïde anonyme jouerait seulement le rôle d'activateur et son noyau serait retiré de l'œuf aussitôt après la fécondation (gynogénèse). La diploïdie (nombre normal de chromosomes) serait alors restaurée en empêchant temporairement la première division de l'œuf par l'action d'une substance chimique. L'embryon, transplanté dans l'utérus de la demandeuse, donnerait naissance à une fille qui ne serait aucunement la copie conforme de sa mère puisque, si chaque ovule contient la moitié du patrimoine génétique maternel, la loterie de la méiose répartit au hasard les chromosomes constitutifs de chaque paire. Cette expérience a été faite chez la souris par P. C. Hoppe et K. Ilmensee en 1977 et aurait permis la naissance de plusieurs souricelles. Cependant, l'expérience n'a pas pu être vérifiée. Comme on l'a dit plus haut, il semble qu'un œuf contenant une information unisexuée soit incapable de développement... sauf chez les grenouilles, qui pratiquaient la fécondation *in vitro* bien avant nous.

Le clonage

Le clonage est comparable au bouturage des végétaux. Toutes les cellules du même organisme contiennent des noyaux de même bagage génétique et on peut, par l'injection de ces noyaux, transformer autant d'œufs en embryons vrais jumeaux. La perspective du clonage a une forte valeur fantasmatique où la terreur le dispute au désir. Car enfin, que signifie cet acharnement croissant à vouloir transmettre son propre « sang » grâce aux techniques de procréation assistée ? On devine que la satisfaction parfaite de l'égoïsme génique passe par la production du double en nombre illimité. L'expérience a été réussie chez les batraciens et des résultats controversés ont été rapportés pour la souris. Certaines difficultés sont liées aux techniques de micromanipulation, mais d'un point de vue biologique, le facteur limitant actuellement est que seules des cellules de jeunes embryons peuvent fournir les noyaux à transplanter dans les œufs : au cours du développement, la différenciation cellulaire conduit à la spécialisation de chaque cellule pour l'utilisation de l'équipement génétique commun, et le noyau semble perdre progressivement sa totipotence, c'est-à-dire la capacité à diriger l'ensemble des activités de la cellule-œuf dans laquelle on l'introduit. Cette difficulté pourrait être surmontée si on savait « reprogrammer » des noyaux pour leur réapprendre à utiliser l'ensemble des informations qu'ils contiennent. Sinon, le clonage ne conduirait qu'à la production de quelques individus identiques entre eux puisque les cellules donneuses de noyaux sont peu nombreuses chez de jeunes embryons (quelques dizaines au stade de blastocyste). Il est donc prématuré de parler de clonage chez les mammifères. Afin de multiplier le nombre des veaux identiques issus d'un seul œuf, S.M. Willadsen a récemment utilisé une ruse technique qu'on pourrait nommer le « clonage gigogne ». Les noyaux prélevés dans chacune des huit cellules d'un embryon sont introduits dans huit œufs fécondés dont les chromosomes ont été éliminés ; ces œufs peuvent évoluer jusqu'au stade de huit cellules, constituant autant de vrais jumeaux. L'astuce de Willadsen consiste à utiliser ces embryons de deuxième génération, comme pourvoyeurs de noyaux, dans les mêmes conditions que précédemment, dans le but de créer soixante-quatre embryons jumeaux de troisième génération avec lesquels... la multiplication en progression géométrique est seulement théorique car les échecs sont encore nombreux ; pourtant ce jardinage répétitif appliqué au matériel génétique est actuellement la façon la plus efficace de bouturer l'œuf des mammifères. Cependant il est actuellement impossible d'obtenir la copie conforme d'un individu adulte ; c'est dire qu'aucune personne ne peut prétendre aujourd'hui à la création volontaire d'un autre lui-même.

La banque de tissus de rechange

De même, la « proposition » faite par R. Edwards de constituer une sorte de réserve tissulaire à l'occasion de la FIVÈTE n'est pas encore techniquement réalisable. Il s'agirait de cultiver pendant deux ou trois semaines au minimum un hémiembryon obtenu par duplication artificielle. Les ébauches d'organe constituées à ce moment-là seraient soigneusement disséquées avant d'être congelées dans des conditions propices adaptées à chaque type de tissus. L'individu issu du transfert de l'autre hémiembryon jumeau disposerait alors d'une banque personnelle de tissus de rechange pour pallier les défaillances de ses organes essentiels, en ne risquant pas le rejet des greffes puisqu'il s'agirait de ses propres cellules. Pour y parvenir, il faudrait être capable de cultiver l'embryon humain jusque bien après le moment normal de son implantation dans l'utérus (la chose est déjà bien avancée pour l'embryon de rat), puis de congeler les différents territoires cellulaires sans les détruire, ce qui ne devrait pas être trop difficile, en appliquant une technique de congélation adaptée pour chaque type cellulaire.

Il n'est certainement pas indifférent que diverses commissions d'éthique (aux Etats-Unis et en Grande-Bretagne) aient limité la durée de la culture *in vitro* de l'embryon humain à deux semaines, soit juste avant que ne se constitue l'ébauche du système nerveux.

La proposition d'Edwards, techniquement prématurée, était évidemment scandaleuse et a été l'occasion, pour les spécialistes de la morale statique, de couvrir de nombreuses pages irréprochables. Pourtant, je suis prêt à parier la moitié des droits d'auteur sur ce livre que, dans vingt ou trente ans, ces idées seront admises et peut-être banalisées. Ainsi seulement pourrait être dépassée la limite théorique de longévité humaine qu'on estime à cent vingt ou cent trente ans. Pourtant, si on devient capable de remplacer la plupart des organes essentiels après usure, on risque de reconstruire un corps tout neuf autour d'un cerveau sénescent ou, dans le meilleur des cas, autour d'un cerveau vide d'histoire, c'est-à-dire autour d'une autre personne.

La grossesse masculine

On peut aussi imaginer qu'un homme demande à vivre une grossesse en recevant dans son abdomen un embryon âgé de quelques jours. La grossesse masculine n'est pas seulement un fantasme. Deux notions physiologiques montrent qu'elle est possible. D'abord l'embryon humain peut se développer jusqu'au terme hors de la matrice (dans la cavité abdominale) et des enfants sont ainsi nés après césarienne ; ensuite les régulations hormonales au cours de la grossesse peuvent être assurées sans la présence des ovaires, grâce à des injections hormonales appropriées. C'est ainsi qu'en Australie une femme privée d'ovaires fonctionnels a pu porter dans son utérus l'enfant issu, par la FIV, de l'ovule d'une autre femme. Une telle demande nous a été adressée, avant même la naissance d'Amandine, par un transsexuel. On doit souligner que, sur un strict plan médical, la grossesse masculine (comme la grossesse féminine se déroulant hors de l'utérus) présenterait des risques mortels. On s'interroge déjà, dans les couloirs des congrès FIVÈTE, sur la meilleure place du corps masculin où introduire l'œuf afin qu'il s'y développe ; on en parle comme d'une bonne blague mais certains disent aussi qu'un milliardaire américain aurait légué sa fabuleuse fortune à l'auteur de la première grossesse masculine. Peut-être est-ce l'idée du trésor qui fait évoquer les bourses comme lieu privilégié... L'organe est extensible à souhait et relativement isolé de l'abdomen qui protège les fonctions essentielles. Pourvu de se déplacer avec une brouette, en fin de gestation... Bien sûr l'homme enceint assumerait aussi l'allaitement, car la grossesse devrait induire le développement mammaire des vestiges thoraciques.

D'avoir seulement déclaré que l'homme mâle pourrait théoriquement être le sujet biologique de ces fonctions naturellement féminines m'a valu d'être considéré comme le « spécialiste » de la grossesse masculine, malgré mon opposition farouche à tout essai d'une méthode dangereuse et inutile. On peut voir là, encore une fois, les excès d'une presse coupable de sensationnalisme. Je ne peux toutefois me proclamer innocent qu'en prétendant aussi que le chercheur doit informer la société à propos de tous les possibles, lesquels sont en amont de toutes les réalités.

La gestation chez l'animal

Encore une idée stupide, il y a peu, mais qui pourrait faire son chemin. C'est seulement récemment que l'embryon d'une espèce animale a pu être transplanté dans l'utérus d'une autre espèce et se développer normalement. On a ainsi pu faire naître le chevreau chez la brebis (S. Meinecke, 1984). Pour que l'embryon étranger soit accepté par l'utérus, il faut substituer à son enveloppe (le trophoblaste, qui constituera seulement le placenta) celle prélevée sur un embryon de l'espèce-hôte ; il faut donc introduire le bouton embryonnaire (ébauche du fœtus) dans un trophoblaste étranger, manipulation relativement simple. L'expérience ne réussit, pour le moment, qu'entre des espèces voisines mais l'homme a des cousins très proches... Une autre manipulation permettant d'associer des espèces proches pour réaliser une gestation est de type immunologique : il s'agit d'immuniser préalablement la femelle porteuse avec un antisérum spécifique de l'espèce à laquelle appartient l'embryon transplanté. Ainsi des juments ont mis au monde des ânes ou des zèbres (W.R. Allen, 1984-1985). On pourra se demander s'il est plus réaliste de faire naître le bébé de l'homme chez la femelle orang-outan, ou l'inverse, ce beau primate étant en voie de disparition. Plus sérieusement, l'utérus animal pourrait devenir une alternative efficace à la culture prolongée de l'hémiembryon humain, afin de parvenir jusqu'à un stade de développement suffisant pour la production de pièces détachées à conserver en banque de tissus.

Notre catalogue n'est pas exhaustif mais contient déjà un bon nombre d'horreurs possibles, même pour ce qui serait réalisable à court terme. Quand il s'agit de créer la vie ou de la faire durer, l'horreur est un sentiment passager qui cède lentement à l'attrait permanent de l'artifice utilitaire ou capricieux. On a pu voir l'enchaînement inexorable des techniques, comment celles qu'on reconnaît innocentes en génèrent d'autres plus équivoques, lesquelles atteignent ce qu'on croyait immuable en l'humain.

Au sens strict la légitimation médicale de la FIVÈTE est réalisée quand une anomalie anatomique ou fonctionnelle fait obstacle à la procréation. Pourtant (voir Indications médicales, p. 169) cet obstacle n'est pas toujours un barrage absolument infranchissable, même si le couple n'a pas recours aux nouvelles méthodes de procréation. C'est dire que la demande d'assistance, formulée par des couples de plus en plus nombreux, est analysée médicalement de façon de plus en plus subjective. Bien plus, à peine la stérilité est-elle définie sur des critères quantitatifs (Combien de temps nous faudrait-il pour faire un enfant, seuls ou avec l'aide des spécialistes?) que surviennent de nouvelles demandes : sexe et qualité de l'enfant, don d'ovule ou d'embryon, etc. La légitimation des interventions techniques ne peut plus être le fait des techniciens. Permettre à ses propres gamètes de gamberger dans un tube appartient déjà à la panoplie des avantages acquis. La procréation artificiellle est propre et dotée d'un label « nouveau » garanti par des spécialistes en blouse blanche. Il ne lui manque que d'être plus efficace que la procréation naturelle — et cela va arriver — pour reléguer le coït au rang d'un jogging pulsionnel. Mais ce n'est là que l'ébauche de nouvelles pratiques qui ne manqueront pas de dessiner les rivages d'une nouvelle morale, d'une nouvelle définition de l'humanité. L'enjeu est de savoir, mais aussi de prévoir, ce que l'humain peut supporter d'artifices, collages, décodages, sans que soit aliénée son identité.

V

VERS LE SOUVENIR
DE L'HOMME

> *L'intelligence adapte l'homme à son milieu immédiat en lui donnant le moyen de résoudre les petits problèmes ; mais, par le congé qu'elle lui donne de se poser les grands, elle le désadapte à l'univers.*
>
> Jean Rostand,
> *Pensées d'un biologiste*

J'ai pu dire l'aventure que j'ai vécue avec quelques autres, j'ai pu dire les chiffres et risquer des futurs proches. L'aventure et les chiffres sont de mon microcosme et je pourrais — je devrais ? — m'arrêter là, à ce que je sais. Pourtant, ayant apporté l'aventure et les chiffres, je conteste que cela suffise pour donner un sens à l'histoire. Je veux aussi dire ce que je crois. Mon inquiétude n'est pas plus autorisée que la tranquille sérénité de beaucoup d'autres. Nourris de pauvres miracles quotidiens, nous prétendons avancer vers nul ne sait quoi, alors même que nous ne faisons que glisser, de techniques neuves en méthodes nouvelles. Des futurs nous sont contés au mépris de notre présent qui est pourtant le futur d'autres passés. Politique et économie sont des vivants sans queue ni tête qui associent croissance avec mieux-vivre. Ils ont compris où puiser le sang neuf que nous aimons boire. La science, qui est sans propriétaire, appelée dans les veines des systèmes caduques, y apporte confiance et espoir. Et se fait honorer comme une pute de luxe, lasse d'être décorative, et qui a enfin rencontré ses maquereaux. La science occupe le meilleur terrain.

Enquêtes, reportages et bilans nous assènent des chiffres qui devraient nous réjouir. Des chiffres sur des étiquettes, puisqu'il n'est plus d'autre mode sérieux de savoir que la mesure indiscutable de ce qu'on a nommé. Et nous ne discutons pas. Que m'importe si d'atteindre la lune nécessite un déplacement de x kilomètres, puisque l'espace est démesuré. Il suffit de ne pas m'ôter cette merveilleuse certitude que la lune est très loin pour que je me réjouisse qu'on marche dessus. On nous grise de mots et de chiffres parce qu'ils nous rassurent ; on baptise le mal, on mesure son étendue, et on se vante du peu de temps qu'il a suffi pour le vaincre.

Il existe au moins trois façons de critiquer la finalité de la recherche scientifique. La plus commune est de montrer les conséquences néfastes qui accompagnent toujours l'application des découvertes. Là où on cherchait seulement à aller plus vite, à produire davantage, à être mieux portant, des retombées inattendues entraînent des nuisances et de nouvelles recherches pour les compenser. Une autre critique, plus spécifique à la recherche médicale, est de constater que, malgré les victoires scientifiques, l'état de maladie demeure sous des formes nouvelles ; souvent ce sont les nuisances résultant du développement industriel qui s'opposent à l'état de santé ; parfois la médecine elle-même induit, par effet iatrogène, des handicaps à guérir ; enfin l'histoire des maladies montre qu'elles se succèdent les unes aux autres sans interruption. Finalement, la critique la plus radicale prend en compte la nature subjective des malheurs qui nous affectent : il n'est pas de petite ou grande maladie, seulement de petits ou grands malades.

Nous avons résolu que les vieillards ne meurent plus de « mort naturelle » mais d'une affection nommée, qu'on finira par vaincre. Peut-être est-ce pourquoi leur disparition se fait aussi dramatique qu'autrefois la mort en couches d'une jeune femme, ou d'un adolescent pris par l'épidémie. Les statistiques démontrent que la durée de vie s'allonge, c'est-à-dire que la survie est prolongée. Elles ne disent pas à quel degré notre mode de vivre est aliéné aux modes inévitables du progrès. Selon le Commissariat général au Plan, si la consommation médicale continue sa progression au même rythme, en 2050 les Français passeront la moitié de leur semaine chez le médecin.

Je crois qu'à l'ultime mal-être succéderont d'autres traumas encore inconnus ; se succéderont d'autant plus tôt que la science est plus prompte à réduire chaque mal successif. Il faudrait enfin voir que le mal arlequin n'est jamais parti, qu'il a seulement revêtu un costume neuf chaque fois. Notre action est de nommer le costume, de l'ôter et de le réduire en cendres. La science est l'éternelle effeuilleuse des forces obscures qui nous menacent et nous menaceront tous les temps à venir. Et si, parmi les autres bêtes, l'homme était promis à un équilibre entre la paix et les calamités, entre la quête et l'exaucement ; si toujours un nouveau costume était prêt pour remplacer celui qu'on a su ôter à l'adversité, quel serait le sens de notre agitation ? Et si le mal était aussi au-dedans de nous, à jouer avec l'idée que nous nous faisons du mieux, à nous faire prendre pour plaies mortelles nos moindres tracasseries, et à nous regarder créer les nôtres propres, quelle serait la mesure de nos guérisons ?

On ne devrait pas accepter que soient assimilés le changement social et le changement technologique, de telle façon que le premier soit supposé en dépendance du second. Ce n'est pas la charrue qui a libéré l'esclave et l'émancipation de la femme n'est pas une conquête de la machine à laver. L'enjeu considérable pour les futurs proches sera l'appréciation circonstancielle du gain social et de la perte sociale engagés par chaque innovation.

L'innovation n'est presque jamais univoque. Dire seulement qu'elle contient ses contradictions est notre lâcheté intellectuelle qui préserve d'analyser les modernités. Nous sommes les drogués d'un destin jamais pensé dont nous faisons mine d'être les maîtres. Le progrès est une notion subjective dont l'objet reste à définir en permanence ; sa connotation fortement positive résulte, à chaque moment de l'histoire, de notre hantise d'un retour à la situation antérieure. Car on ne revient pas sur les acquis lesquels, *a contrario*, définissent les décadences. Le progrès a valeur d'obligation ; dès sa production il a pouvoir d'aliénation.

Nous convenons — mais y croyons-nous réellement ? — de confondre la somme sans cesse croissante des choses sues avec le mieux-vivre, le changement avec le perfectionnement. Par cette démarche nous effaçons la dimension fondamentale du désir, la nature mouvante dans l'histoire, et d'un ego à l'autre, de ce qui est ressenti comme l'extrême bien ou l'extrême mal, ces limites où nous pourrions convenir de mourir. Nous avons peur des violences de jouir ou de souffrir, de cette peur vient notre lâcheté à penser le sens, notre démission à discerner le but.

Peur de la mort bien sûr, de la fin toujours stupide ; pour la première fois dans l'histoire l'homme s'autorise à pleurer quand agonisent ses centenaires. Mais peur aussi des excès de vivre, contentement petit de durer sans jouir, en même temps qu'énorme panique du manque. Il suffit de désirer bas pour se faire croire qu'on est comblé. La même méthodologie froide de la mesure est appliquée pour estimer le progrès ou la vie humaine. Le premier est compté en masse d'informations, inventaire d'objets, victoires sur l'espace et la durée ; la seconde est appréciée en nombre d'années, indices de consommation des objets du progrès. Il suffit de désirer nombreux pour être saturé. Nous sommes préparés pour la productivité aveugle de besoins mesquins où le désir se dilue, où le sens se perd, où l'être se normalise.

Dans les meilleurs cas l'innovation consiste en la production de solutions ciblées pour des besoins exprimés, mais il arrive qu'elle précède le besoin ou le sentiment de carence. Même là où elle est une réponse circonstanciée l'innovation vient perturber le mode de vivre en des régions voisines. Tant que les guichetiers de banque vous échangeaient des billets contre un chèque, il suffisait de quelques minutes pour être payé ; vint l'ordinateur avec ses failles incontournables : vous voilà servi en quelques secondes, ou bien en quelques jours si la machine est hors d'état de fonctionner. Entre-temps, une partie des employés connaît l'humiliation du chômage, qu'on ne compense pas avec des aumônes. Cherchez donc quelques inventions de cette seconde moitié du XXe siècle qui soient irréprochables. C'est-à-dire qui n'arrivèrent pas seulement pour compenser tel effet pervers d'autres inventions ou modes de vie ; des inventions qui s'imposent par leur évidente utilité comme par leur fiabilité, sans présenter le risque de nous faire débiles. Seules de telles innovations méritent le titre de progrès, sans aucune précaution de langage. Toutes les machines fonctionnant avec une énergie artificielle s'immobilisent quand le moteur coince, quand la grève éclate ou quand se rompt le câble d'alimentation. Alors nous voilà plus démunis qu'avant l'invention même, tant elle a su nous accoutumer à son service. La plupart de ces machines dont on prétend qu'elles libèrent tantôt l'homme, tantôt la femme ne sont nées que de la nécessité économique d'aller plus vite. Le consensus s'est fait, avant que tout soit réfléchi, sur leurs avantages. Ceux-ci ne sont indiscutables que si l'on admet la cohérence du projet social. Est-il cohérent par exemple de se déplacer en automobile pour « gagner du temps » dont une certaine partie sera consacrée à des exercices physiques pour rétablir les chairs amollies, une autre à travailler pour financer les dépenses occasionnées par le véhicule ou le poids social que représente la morbidité sur les routes ? Chacun sait cela et sait aussi l'oublier. Voilà donc qu'en examinant nos récentes inventions il m'est arrivé d'en trouver deux qui soient irréprochables. Ces objets sont à l'échelle humaine : ils peuvent durer aussi longtemps qu'une génération, ne connaissent pas la panne technique ; on s'étonne que les Anciens ne les aient pas imaginés tant ces objets sont d'utilité et d'innocence. Voilà : l'essoreuse manuelle pour la salade et le bavoir imperméable à poche de rebut pour les bébés ; je veux bien admettre que ma liste n'est pas exhaustive, et reste disposé à introduire quelques autres merveilles dans l'encyclopédie des inventions irréprochables de l'aube du IIIᵉ millénaire.

On imagine la condition inconfortable du chercheur qui ne parvient pas à croire qu'il produit du progrès. Il aime son métier mais crache dans la soupe. Ce qui le motive, c'est se coltiner avec les mystères accessibles au laboratoire, « humer de loin en loin l'arôme incomparable de la vérité à l'état naissant », disait Jean Rostand. Si les découvertes pouvaient être empilées comme des cubes, cela ferait un bel édifice qu'on regarderait du dehors, la soif de connaissance y trouverait son compte, au moins jusqu'au mur du savoir. C'est une illusion d'optique de voir l'inconnu sans cesse repoussé, seules s'étendent les limites du connu. La connaissance développe un mouvement centrifuge dans un espace sans fin dont le questionnement de l'homme occupe le centre, par définition. Les réponses qu'il obtient ne valent que par les questions qu'il pose mais, ainsi, s'élargit en cercles centrifuges, parfois en percée, flèche dans la chair dure du secret, le monde familier du savoir. Le dehors est immuable de démesure.

Le chercheur est trop spécialisé pour faire dans cet immense vertige, apanage des philosophes. Il jouit seulement de vertiges à sa mesure, c'est-à-

dire à peine trop grands à chaque fois. Mais le
projet des hommes n'est pas dans l'accumulation
des savoirs à contempler seulement ; le serait-il
que les nouvelles découvertes seraient vite empê-
chées, faute de bénéficier des outils de l'acquis.
La différence entre recherches fondamentale et
appliquée n'est que dans l'échéance plus ou moins
longue pour l'utilisation des découvertes.

Chaque époque a connu l'innovation. Le miracle du feu, ceux de la roue, de l'imprimerie ou de
l'électricité étaient bien aussi révolutionnaires que
nos misérables modernités ; certaines des « techniques de pointe » de cette fin du XXe siècle,
comme l'insémination artificielle, auraient pu être
pratiquées il y a des milliers d'années et n'interviennent que comme des succédanés d'anciennes
pratiques culturelles. Un Mélanésien à qui l'on
demandait récemment son avis sur la FIVÈTE
répondit : « Pourquoi tant d'efforts pour faire un
enfant si ce n'est pas pour le donner ? »...

Depuis que l'homme s'est singularisé de la
bête, il a sans cesse développé des artifices, tout
en frémissant d'angoisse devant les modifications
qu'entraînent pour lui ces artifices. L'homme se
construit en l'absence de tout programme avoué,
et s'étonne chaque jour de devoir encore changer
avant demain. Il assimile avec difficulté ses muta-
tions successives pour regarder sa propre image,
qui est déjà celle de son passé. Ce qui singularise
notre époque est la conjonction d'une idéologie
scientiste triomphante avec l'accélération de la
production scientifique, et cette conjonction pour
la première fois atteint à la violence. C'est la
proposition simultanée de nouveaux modes de
vivre dont une infime fraction suffirait à étourdir
quelques générations. Car l'homme d'aujourd'hui

n'est pas mieux apte que son ancêtre à assumer les bouleversements qui se pressent, et là est peut-être la preuve de notre déraison, la preuve que cette course, produite par des organes spécialisés du groupe, talonne les individus qui demeurent innocents. Aussi innocents que quand tombe la foudre du ciel ou que s'ouvre la terre sous les pieds. Pourtant ces productions sont bien celles de l'espèce, pourtant qui ne dit mot consent et certains auraient même demandé. Trouver des coupables... ils sont trop nombreux ceux qui œuvrent à la modification et chacun d'eux peut se prévaloir d'avoir été commandité par le groupe, chacun peut justifier que son activité, tellement parcellaire, va vers ce petit morceau de progrès qu'on lui a demandé et dans lequel, à bien y regarder, il n'y a pas de quoi fouetter un chat.

D'une façon générale, on constate que, quand le chercheur prétend assumer toutes les responsabilités, en agissant selon sa propre conception de l'éthique, l'opinion s'irrite de cet abus de pouvoir, tandis que quand il se retranche derrière des instances extérieures qui décideraient du bien-fondé de ses actions, la même opinion s'irrite de cette démission de responsabilité. Pourquoi le chercheur est-il condamné soit au rôle d'apprenti sorcier, soit à celui de technicien irresponsable ? Vraisemblablement parce que le principe de plaisir qui explique ses efforts finit toujours par rencontrer l'instinct social de préservation qui contrôle son action. Mais pourquoi chercher des coupables quand aucune plainte n'est formulée ? Non pas une plainte contre tel spécialiste qui aurait fauté contre sa technique, mais une contestation globale de ce qu'on nomme le progrès.

Toute découverte, toute réalisation technologique, même si son application est jugée inacceptable au jour de sa venue, est partie intégrante de ce que nous appelons le progrès, c'est-à-dire une avancée supplémentaire dans le registre des connaissances, une arme de plus dans la panoplie des artifices. Peut-être le chercheur doute-t-il, plus que tout autre, du sens et des vertus de ce progrès ; parce qu'il sait que le développement n'est pas linéaire mais échappe tantôt vers une exponentielle, tantôt vers une impasse temporaire ; parce qu'il constate que toute réponse est surtout l'occasion de nouvelles questions et qu'alors le vertige le prend ; parce que au vu de la mise en pratique de ses travaux, il discerne mal le mieux-vivre dont il serait un artisan. Quand le chercheur appelle à la rescousse des comités d'éthique, ce n'est pas pour fuir ses responsabilités, mais pour les mesurer. L'inflation des artifices correspond aux choix d'une société tout entière, dont les chercheurs occupent l'avant-poste. Tout se passe comme si les individus avaient déjà répondu inconsciemment aux questions d'ordre éthique qu'ils feignent de se poser ou de poser aux spécialistes ; un peu comme un alcoolique qui demanderait encore du vin tout en s'inquiétant de la cirrhose qui le guette. L'innovation est une sorte de machine infernale qui développe en spirale ses propres justifications ; elle n'est pas réductible à un projet primitif qu'on aurait le temps d'apprivoiser, elle ne se fragmente pas selon des degrés hiérarchisés par une morale qui serait immuable. Elle avance dans le monde des hommes, forte d'avoir été conçue par eux ; elle s'impose, familière et redoutable, avec ses engrenages de plus en plus nombreux, de plus en plus complexes. A chaque pas, l'innovation sécrète de la morale puisque l'empreinte qui la suit est la marque de notre acquiescement, de nos habitudes, et chacun de ces pas contient le développement du pas à venir, inexorablement. La preuve concrète apportée par la démonstration, dans le champ des possibles, transforme la conception même que nous avons de l'éthique ; ainsi le technicien d'aujourd'hui influence-t-il les philosophies de demain. Il en résulte que pour être efficace le contrôle social ne peut pas s'exercer au niveau de l'application des recherches mais à celui de leur production.

Plutôt que comme progrès il conviendrait de définir, objectivement, comme des acquis les traces de ce jeu souvent idéalisé qu'on appelle la science. Comme les souris font des petits, les acquis en produisent de nouveaux, sur un mode exponentiel. Ils remplissent les bibliothèques, grouillent dans le cerveau des étudiants et les plus spectaculaires seulement s'ébattent dans les médias. Une civilisation ne se reconnaît plus à son art de vivre, mais au poids de cette production, sans qu'il soit vérifié qu'elle nous permettrait de souffrir moins, de jouir davantage, de gagner en liberté ou d'épanouir nos facultés créatrices. Sans qu'il soit vérifié qu'elle mérite le titre de progrès. Le processus d'assistance qui s'insinue dans nos relations les plus intimes comme la sexualité et la famille correspond à une normalisation. Les sociétés modernes cataloguent les déviants de toutes sortes et, parmi ceux-là, les malades qui sont des déviants légitimes. Nous avons été, sommes ou serons tous des deviants légitimes, produits réels ou inventés de sociétés morbides. Car, nommés « patients » avant que d'être malades, nous sommes convenus d'une médicalisation universelle que nous exigeons comme un droit, et ce droit deviendra celui de ne pas mourir.

En refusant toujours mieux l'aléatoire et la finitude, notre civilisation est aussi celle de la conservation : conservation des corps au plus long temps, bardés d'organes artificiels et gavés de pilules. Prétendre se reproduire dans l'héritage génétique est une hérésie biologique. S'il est vrai que la moitié des chromosomes d'un individu provient de chacun de ses parents, il existe tellement de ces « moitiés » possibles que les gamètes produits au cours d'une vie entière sont tous différents entre eux. Les parents génétiques de l'enfant sont bien deux gamètes imprévisibles plutôt que les organes de loterie qui les expulsent ou les individus qui contiennent ces organes. La revendication de pérennité génique revient aussi à soutenir que cette chair-là qui est la mienne mérite l'éternité. C'est enfin l'aveu par chacun d'aspirer au clonage que tous prétendent abhorrer.

En même temps que la survie du corps, l'homme civilisé revendique la conservation des désirs, chacun jusqu'à sa satisfaction ; non pas le désir imprévisible et merveilleux de l'autre mais, misérable et capricieux, le désir devenu légitime d'être assisté, de demeurer patient jusqu'à en devenir malade. Un tel projet transpire la retraite avant même que soit affrontée la vie, il postule à l'avantage acquis d'atteindre la médiocrité, il proclame une garantie absurde contre le risque d'être. Dans chaque champ de l'inquiétude les deux mamelles de la sécurité sont la prévention et l'intervention ; ce mode mixte associe la ceinture automobile avec la pension civile, la vaccination avec les antibiotiques, la contraception avec

l'avortement, ou le droit à l'enfant avec la procréation médicalement assistée. Pourquoi pas un
droit à l'éternité, associé avec le clonage ou
l'hibernation, dès que la technologie serait com-
pétente ? On remarque aussi que nos sociétés de
patients s'emploient à la conservation et à la
sécurisation des individus dans le même temps
où elles proclament le changement par la technique et avouent l'incertitude des lendemains...
Comme si les plus vaniteux fantasmes de chacun
amenaient ensemble les hommes à renier leur
condition collective d'animaux sociaux, comme si
était prononcée la rupture entre le devenir de
chaque individu et celui, commun, de leur
espèce. Car on ne devrait pas accepter que
l'avenir de l'homme soit dans une société mort-
née régie par l'assurance tous risques, où les
jeunes se méfient de leur imagination, où les
adultes se protègent, en préretraite bien avant la
sénescence, et où les vieillards n'ont plus d'autre
fonction que celle de repousser leur propre disparition.

Alors même que le discours scientiste prétend
supprimer toute limite dans la conquête de la
nature, et où l'idéologie sécuritaire exige que soit
vaincue jusqu'à l'inquiétude de perdre, on devine
qu'il faudra bien inventer des seuils ou limiter
l'artifice. Il s'agirait de seuils utopiques.

On dirait qu'au-delà de tel niveau de développement technologique le progrès est débordé par
les servitudes et des effets pervers. On dirait le
seuil du désir qui justifie telle intervention d'assistance. On dirait ce qu'est l'homme pour établir jusqu'où on ne peut pas le modifier. On sait
bien qu'une telle réflexion est impossible pour
nos cerveaux embrumés par l'idéologie scientiste

de la course en avant. Nous sommes devenus des techniciens du coup par coup.

Ceux qui réfléchissent aux dangers de la science s'emparent de l'une puis de l'autre des étonnantes bestioles sorties du chapeau des chercheurs. Chacun dissèque la bête et propose un enclos selon sa vision professionnelle de notre monde commun ; de beaux discours sont ainsi posés côte à côte sans réussir à se rencontrer véritablement. Des chapitres successifs se succèdent aussi, concernant chaque bestiole, comme pour la taxonomie d'espèces différentes. Car l'éthique est devenue une morale atomisée qui dessine un panier pour chacun des petits alors que la marmaille est d'une unique couvée. Les mêmes médecins, juristes et prêtres, et quelques autres proposent qu'un tri soit opéré entre les bonnes et les mauvaises découvertes, selon le principe de la chasse au lion dans le désert : un comité, armé d'un grand tamis éthique, filtrerait le sable de nos sécrétions inventives pour isoler les plus jolis fauves du progrès, ceux qu'on mettrait de suite dans le moteur des désirs. Du rebut on ferait une montagne structurée où venir puiser plus tard. C'est négliger que les bêtes les plus étranges, chimères, monstres atypiques, extraterrestres, exercent sur nous les plus grandes séductions et que ces bêtes, même au rebut, continueront par leurs copulations imprévisibles d'élargir l'inventaire du bestiaire. C'est aussi oublier l'effort énorme que les hommes ont partagé pour peupler le sable vierge de créatures sans emploi. Car ce n'est pas la moindre absurdité que cette mobilisation d'un nombre croissant d'individus pour créer, tester, gérer et appliquer des inventions le plus souvent hostiles à l'épanouissement du genre humain.

Pourquoi produire encore de plus en plus d'artifices sans jamais oser la question fondamentale de leur sens pour l'histoire et la vie quotidienne des hommes? Cette myopie politique illustre le triomphe de l'idéologie du progrès et, plus spécifiquement, de l'idéologie thérapeutique. Mais la production des artifices s'inscrit aussi dans la concurrence internationale des savoirs et des économies. Même quand la technique est dépourvue de but économique, comme il arrive dans le domaine de la santé, son utilisation se conforme aux lois du marché en suscitant la revendication du besoin dans chaque cadre national. Pas seulement parce que, une fois garantie la couverture sociale, il est moins coûteux pour les individus de recourir à des thérapeutiques *intra-muros* plutôt qu'étrangères mais aussi parce que, la technologie étant intégrée à part entière dans le patrimoine culturel, chaque société aspire à disposer en propre de l'innovation. Ainsi, tandis qu'à nos portes le grand reste de l'humanité s'établit dans un sous-développement qui s'aggrave chaque jour, nous les nantis, avec 95 % des ordinateurs et 99 % des centres de procréation assistée, nous jouons à nous procurer des désirs.

Notre formidable potentiel de recherche pourrait bien être utilisé à d'autres fins, car il existe des détresses fondamentales. On peut les reconnaître à ce qu'elles sont partagées par les bêtes. Famine, désertification, maladies endémiques, le besoin impérieux d'en sortir est d'une autre nature que les besoins qu'on se fabrique. Tant que des multitudes seront condamnées à l'inhumanité, les parvenus de la terre n'auront le choix qu'entre deux solutions : mépriser ce malheur ou le combattre. Faut-il que la compétition engagée avec nos faux frères parvenus nous amène à l'impuissance, c'est-à-dire au mépris ? S'il est vrai qu'un homme en vaut un autre, d'autres choix devraient être possibles. Le scandale n'est pas seulement ce gaspillage de forces vives grâce auxquelles l'autre monde pourrait atteindre à la dignité : il est aussi, peut-être plus gravement, la tranquille bonne conscience qui nous fait prendre pour des calamités les stigmates de nos esbroufes ratées.

Procréations assistées, technologies industrielles ou agricoles, informatisation procèdent d'une idéologie commune qui est la religion du progrès technique. On ne peut à la fois être confiant dans l'insécurité des centrales nucléaires, ou hypnotisé par l'ordinateur, et s'inquiéter de la médecine de l'œuf. L'innovation n'a pas pour réel moteur la recherche proclamée du bien-être et c'est ce qui rend irrémédiable sa marche en avant. Comment dire « on s'arrête, on réfléchit » alors que la moindre pause nous serait comptée comme un retard technologique, peut-être irréversible, par rapport aux avancées de nos concurrents. Comme le dit Marguerite Yourcenar, « le désir de faire le monde l'emporte sur celui de s'approprier le sens ». Le monde qui vient sera partagé entre les pays qui se battent pour rester en course et ceux qui sont déjà battus, réserves ethniques où soulager nos relents de romantisme.

La seule chance de s'approprier le sens de l'histoire que nous faisons passe par un volontarisme multinational, une sorte d'œcuménisme des intelligences. J'appelle à un moratoire révolutionnaire sur l'idée même du progrès, à une convergence sur la non-prolifération des exploits. De cette façon on ne revient pas en arrière puisque tous s'arrêtant, il n'est plus de référence sur l'avant. Simplement, pour la première fois libres des pressions conjoncturelles, on regarde droit dans les yeux la mécanique qui prend toute la place. On regarde assez longtemps pour que l'esprit accommode, voie, analyse, digère. On en parle calmement, on débat, on se prononce ; même là il faut un endroit pour l'humour, ce n'est pas rien de juger l'avenir de l'homme quand on est seulement l'homme. Vient le temps des conclusions, il y a ceux qui donnent leur langue au chat, ceux qui la donnent au langage binaire et ceux qui la gardent pour goûter un vieux bordeaux. Que les meilleurs gagnent, on saura alors pourquoi on meurt de toute façon et pourquoi nos enfants vivent d'une certaine façon.

C'était un appel pour un jeu politique et sérieux. Mais vous dites qu'on n'a pas le temps, pas le temps de jouer…, de réfléchir ; vous dites aussi qu'il y a des politiciens qu'on a délégués pour cela et d'autres qui s'opposent aux premiers, sauf justement sur ce thème, sur la chance unique qu'est le progrès technique pour l'avenir de l'homme, vous soulignez cette unanimité en la nommant consensus[1]. Vous citez la maxime éventée sur ceux qui ne croyaient pas à l'électricité, vous évoquez le salut grâce à la médecine de votre grand-père, grabataire à l'hôpital, puis vous vous

1. Puisque l'essentiel des crédits affectés à la recherche scientifique sont à visée énergétique ou militaire il est dans la stratégie des politiciens de profiter des confusions : la recherche produirait du progrès cohérent et homogène. En ce sens les bricoleurs de recettes à succès deviennent la caution des projets étatiques.

excusez d'avoir à partir avant d'avoir terminé votre hamburger. C'était un appel pour un instant utopique d'intelligence après des lustres d'abandon. L'abandon durable fait la lâcheté qui dure. J'en conviens, la logique victorieuse est ailleurs, n'est majestueuse que dans l'impasse où sa majesté clôt le chemin. De cet appel déjà dérisoire j'espérais seulement qu'apparaisse la nuance vitale entre l'inéluctable et le désirable.

Par-delà les millénaires et les continents, les traces les plus anciennes du genre humain ne sont pas les moins admirables. Mais à force de FIVÈTE exemplaire, complémentaire, variante ou pervertie, à force aussi d'informatique, de robotique, de télématique et de productique, à force enfin de temps gagné qu'il eût été délicieux de perdre, l'homme va se transformer radicalement. Par sa façon de penser et d'agir, l'homme qui vivra dans cent ans risque d'être aussi différent de nous que nous le sommes du premier représentant d'Homo sapiens. Pourtant, beaucoup s'inquiètent du mélange des humanités et de la dégénérescence qui suivrait l'assimilation par l'homme européen des étrangers venus du Sud. Quelle dérision ! Alors que la fusion des « races » humaines conduit à l'enrichissement du genre humain, certains craignent la différence entre les hommes d'aujourd'hui, sans s'inquiéter de celle qui vient entre l'ensemble de ceux-là et leurs descendants immédiats. Pour ceux que la rigidité de la machine séduit davantage que la diversité des hommes, un robot blanc a-t-il plus de séduction qu'un robot nègre ?

Le genre humain va mourir puisque notre survivant sera culturellement incomparable ; ce suicide n'a pas été décidé, il est le résultat d'un consensus auquel tous participent car il n'y a pas d'autre façon de durer qu'en avançant. Alors la régulation éthique de notre fin devient l'essentiel car il n'y a plus rien d'important qui n'ait déjà été convenu, car il n'y a aucune chance que le possible échappe à l'agir. L'éthique n'est pas cette crème informe qu'on répand souvent sur le gâteau de la science. Elle est le lieu d'une harmonie entre l'homme d'aujourd'hui et son fantôme de demain ; elle est le régulateur de nos délires d'être ce que nous deviendrons. Alors nos jolis débats n'auraient été que grandiloquence inutile d'un peuple qui mesure à son génie passé son incapacité à affronter l'avenir sans renier sa culture ? C'est vrai et c'est faux. Ce questionnement intégrera aussi l'héritage de l'être indéfinissable que nous deviendrons. J'imagine Homo bioeconomicus décryptant sur l'écran de son ordinateur cette part du testament de l'Homo sapiens. Je lui rends son mépris de façade et lui laisse son remords ; le voilà, notre mutant, qui perd une larme. Viendra le jour où le solde d'humanité sera tout entier contenu dans le souvenir de l'homme.

LA FIVÈTE, VERSION AUTHENTIQUEMENT PRIMITIVE

LA FIVÈTE,
VERSION AUTHENTIQUEMENT
PRIMITIVE

J'aime que le savoir fasse vivre,
cultive, j'aime en faire chair et maison,
qu'il aide à boire et manger, à marcher
lentement, aimer, mourir, renaître par-
fois, j'aime à dormir entre ses draps,
qu'il ne soit pas extérieur à moi. Or il a
perdu cette valeur vitale, il faudra
même se guérir du savoir.

Michel Serres,
Les Cinq Sens

INDICATIONS MÉDICALES

La FIVÈTE consiste essentiellement à permettre la rencontre entre l'ovule et les spermatozoïdes
en dehors du corps de la femme puis, un à trois
jours plus tard, à placer dans l'utérus de cette
même femme le jeune embryon obtenu pour qu'il
puisse s'y développer. Cette méthode s'applique
aux couples stériles pour des causes le plus
souvent d'origine féminine : un obstacle empêche
la rencontre des gamètes (stérilité tubaire) ou,

plus rarement, les spermatozoïdes sont détruits dans l'organisme féminin (stérilité immunologique). Mais la FIVÈTE peut aussi remédier à des stérilités d'origine masculine quand le nombre ou la survie des spermatozoïdes normaux sont insuffisants, ou même à des stérilités d'origine inconnue : dans ce dernier cas, les deux membres du couple présentent des résultats normaux à tous les examens actuellement disponibles mais ne parviennent pas à obtenir ensemble la grossesse.

Comme le montre la figure 1, le bilan de fertilité d'un couple est surtout de nature anatomo-physiologique pour une femme (contrôle de la morphologie de l'appareil génital et des paramètres indirects de l'ovulation : courbe de température, hormonologie) tandis qu'il est surtout de nature cytologique pour un homme (contrôle de la qualité du sperme éjaculé). Ces différences sont la conséquence de singularités sexuelles : le fonctionnement génital féminin est de nature cyclique tandis que celui de l'homme est continu. D'où l'importance d'analyser chez la femme les périodes qui séparent respectivement les règles de l'ovulation et l'ovulation des règles suivantes. Par ailleurs, la fécondation se déroulant à l'intérieur de l'organisme féminin, l'ovule et le jeune embryon sont inaccessibles à l'analyse, sauf par le biais de la FIV, tandis que le sperme est facilement obtenu et analysable.

Bien sûr, la FIVÈTE n'est pas prescrite d'emblée, quand l'un ou l'autre des membres du couple présente une des altérations décrites par la figure 2. Dans les cas de stérilité inexpliquée ou d'hypofertilité masculine, il importe de s'assurer d'un recul suffisant (durée de la stérilité conjugale) ; encore cette notion ne peut-elle être absolument objective et on a vu des couples « stériles » produire une grossesse par leurs propres moyens au cours du cycle précédant ou du cycle suivant la tentative FIVÈTE. Dans les cas de stérilité féminine d'origine tubaire, la réparation chirurgicale des trompes peut être efficace mais, sauf pour quelques indications anatomiques précises, la FIVÈTE est hautement compétitive : la plupart des spécialistes de la plastie tubaire admettent aujourd'hui que leur intervention, qui constitue un acte chirurgical lourd, risque de compromettre les chances ultérieures du recours à la FIVÈTE en induisant la formation de tissus cicatriciels (adhérences). Quand la femme fabrique des anticorps contre les spermatozoïdes, les gamètes masculins se trouvent agglutinés dès leur contact avec les voies génitales féminines. Dans ces cas, relativement peu fréquents, la FIVÈTE semble être la seule thérapeutique puisque, de cette façon, les spermatozoïdes ne rencontrent pas l'organisme féminin et que l'ovule, abrité des éléments sanguins par la barrière folliculaire, ne porterait pas les anticorps en cause. Il faut cependant préciser que la FIVÈTE n'est pas un remède aux stérilités masculines dues à la présence, chez l'homme, d'auto-anticorps contre les spermatozoïdes : dans ces cas, les gamètes masculins sont agglutinés dès le recueil du sperme. Puisque des techniques particulières de recueil permettent de limiter cette agglutination, le plus simple est alors de procéder à l'insémination artificielle du partenaire féminin.

Pour toutes ces anomalies de la procréation, certaines conditions sont à respecter avant que l'indication FIVÈTE ne soit retenue : il est nécessaire d'obtenir le développement des follicules ovariens sous stimulation hormonale. Ainsi, dans

les cas où l'ovulation spontanée n'est pas régulière, la réponse des ovaires à un ou plusieurs
traitements de stimulation est testée au cours de
cycles de « bilan ». Il est aussi indispensable de
vérifier la normalité de l'utérus et l'accessibilité
des ovaires ; chez certaines patientes, en particulier après des interventions chirurgicales répétées,
des tissus adhérentiels, qui peuvent accoler l'appareil génital et l'appareil digestif, amènent à
refuser le recueil d'ovules pour FIVÈTE comme
impossible ou trop dangereux. D'autres indications de la FIVÈTE sont encore en cours d'étude ;
on ignore en particulier les limites d'acceptation
des spermes déficients. On sait qu'un seul gamète
masculin pénétrera l'ovule et il est exceptionnel
qu'un éjaculat ne contienne pas au moins quelques spermatozoïdes apparemment aptes à la
fécondation ; pourtant, en inséminant *in vitro*
l'ovule avec un nombre adéquat de ces gamètes,
les chances de fécondation sont très diminuées
quand les paramètres globaux du sperme sont
inférieurs à la norme. Il est encore trop tôt pour
savoir si l'injection d'un spermatozoïde directement dans l'ovule (voir p. 126) serait efficace dans
certains cas de stérilité masculine.

Enfin le couple peut être recusé pour des
raisons extérieures au bilan strictement médical :
parfois, quand la médicalisation de la procréation
paraît injustifiée, eu égard à l'état psychologique
des partenaires ; plus souvent quand la patiente
est âgée de trente-huit-quarante ans, ce qui fait
craindre un risque élevé d'anomalies chromosomiques de l'œuf. On sait que la fréquence des
anomalies embryonnaires augmente avec l'âge
maternel. Cependant il n'est pas certain que le
« vieillissement » de l'ovocyte soit la cause des

anomalies les plus fréquentes : si des modifications de l'environnement tubaire étaient impliquées dans les accidents chromosomiques de la fécondation, la FIV devrait permettre au contraire d'éviter ces accidents. Cette cause d'exclusion de la FIVÈTE est évidemment dramatique car elle signifie l'abandon définitif du projet du couple stérile ; elle est essentiellement justifiée par l'importance de la liste d'attente même si les autres aspects du dossier clinique sont favorables. Ainsi, d'assez nombreuses demandes faites par des couples stériles sont refusées ou différées. Cette attitude des équipes FIVÈTE les plus sollicitées combine leur capacité d'accueil avec les chances estimées de succès pour chaque cas individuel.

D'abord méthode permettant de remédier à des stérilités féminines d'origine tubaire, puis élargie à d'autres troubles somatiques de la femme ou de l'homme, la FIVÈTE a même obtenu quelque succès dans des cas de stérilité inexpliquée. Certaines de ces stérilités « énigmatiques » doivent avoir une origine psychogène ; l'intervention de la FIVÈTE peut alors ressembler à une rupture des barrages que l'inconscient oppose à la procréation : les deux partenaires étant absolument normaux (en l'état actuel des méthodes de diagnostic), mais ne parvenant pas à obtenir ensemble la grossesse, la prise en charge de leurs corps par les techniques de la FIVÈTE conduit parfois à la fertilité du couple. Dans ces cas, les deux dossiers médicaux produits, l'un par la femme, l'autre par l'homme, ne sont pas différents de ceux que pourraient constituer des mères ou pères de famille. C'est donc à partir de l'analyse de l'entité « couple », et non de l'un ou l'autre des individus qui le composent, que va être déterminée la prescription FIVÈTE; mais surtout cette prescription n'a d'autre justification que le constat d'une certaine durée de la stérilité (en général quelques années). Ainsi intervient une différence quantitative plutôt que qualitative (laquelle porterait sur la définition d'un trouble somatique) entre un couple « fertile » et un couple « stérile », voire entre un individu fertile et un individu stérile. Cette quantification de la stérilité est confrontée à une échelle thérapeutique où figure en particulier la mesure du taux de succès de la FIVÈTE. Au fur et à mesure que l'efficacité de la FIVÈTE augmentera, la durée de la « stérilité inexpliquée », suffisante pour déterminer le recours à cette méthode, diminuera, au point qu'on peut craindre ce qui adviendra à très brève échéance quand la FIVÈTE permettra d'atteindre ou de dépasser la fertilité naturelle. Faudra-t-il médicaliser la procréation dès le retour du voyage de noces ?

LE CYCLE FIVÈTE

C'est celui qui commence avec les règles de la patiente et s'achève hélas, par la même situation dans environ huit cas sur dix. Afin de provoquer le développement sur l'ovaire de nombreux follicules on utilise diverses substances administrées à la patiente. Le plus souvent on fait agir simultanément deux inducteurs : le clomifène (par voie buccale) est une substance dont le mode précis d'action reste mal connu mais qui est capable d'amener à maturité deux ou trois follicules en moyenne. hMG (*human Menopausal Gonadotropin*) est un complexe hormonal qu'on extrait de l'urine des femmes ménopausées et dont l'action (par voie intramusculaire) mime celle qu'exerce normalement le cerveau pour induire la croissance du follicule dans un cycle naturel. La combinaison des deux substances permet une action cumulée sur l'ovaire, sans qu'il soit nécessaire d'administrer de fortes doses d'hMG. Car la réponse ovarienne à cette hormone est difficilement prévisible mais peut atteindre des niveaux dangereux (on parle alors d'hyperstimulation) : son utilisation à doses élevées exigerait un contrôle rigoureux de l'évolution ovarienne, dès le début de l'administration dans le cycle FIVÈTE (voir fig. 3) ; or les patientes disposent d'une prescription médicale pour commencer le traitement à domicile du deuxième au huitième ou dixième jour du cycle, moment où débutent les contrôles pratiqués par l'équipe FIVÈTE. On peut aussi provoquer la croissance folliculaire avec FSH (*Follicle Stimulating Hormone*) qui est la substance même que sécrète en petites quantités le cerveau pour faire mûrir l'unique follicule du cycle naturel. La fonction de ces substances inductrices n'est pas de recruter dans l'ovaire des follicules supplémentaires au follicule normalement destiné à ovuler, mais d'assurer le développement vers l'ovulation des nombreux follicules qui, naturellement, auraient dégénéré : aux premiers jours du cycle menstruel, plusieurs follicules d'aspect équivalent sont présents (environ cinq à huit pour les deux ovaires), parmi lesquels un seul, non discernable à ce moment-là, est destiné à se développer jusqu'à l'ovulation. Il s'agit donc de rescaper les frères de ce follicule avant que ne commence leur dégénérescence, ce qui explique que le traitement prenne place très tôt dans le cycle. On comprend aussi que, malgré le nombre parfois élevé de follicules stimulés, le traitement n'ait pas pour conséquence d'épuiser le stock folliculaire des ovaires.

La patiente se présente dans le service le plus souvent au dixième ou onzième jour de son cycle et va subir un double contrôle pour juger de l'effet du traitement. Une prise de sang permettra d'effectuer un dosage de l'hormone principalement sécrétée par les follicules (œstradiol), tandis qu'un examen échographique (ultrasons) déterminera le nombre des follicules de grande taille présents sur les deux ovaires. Étant admis qu'une quantité minimum d'œstradiol doit être sécrétée par chaque follicule mûr, l'interprétation du résultat des dosages prendra en compte le nombre des follicules découverts à l'occasion de l'examen échographique. En pratique, le résultat du dosage hormonal, effectué sur le sang prélevé le matin, est disponible le même jour dans la soirée. A ce moment sera prise la décision, soit de poursuivre le traitement de stimulation si la maturité des follicules est insuffisante, soit de déclencher le processus de l'ovulation si les follicules sont suffisamment sécrétoires.

Le déclenchement de l'ovulation est effectué à l'aide d'une autre hormone : hCG (*human Chorionic Gonadotropin*). Celle-ci est une sécrétion de l'embryon humain qu'on extrait de l'urine des femmes enceintes. Elle a la propriété de mimer le signal (décharge de LH : *Luteinizing Hormone*) normalement donné à l'ovaire par le cerveau, en réponse à l'information hormonale (œstradiol) que l'ovaire lui apporte. Le problème est de précéder le signal cérébral, tout en n'intervenant pas trop tôt afin que le système ovarien soit apte à répondre. En effet, si l'on attendait que le déclenchement de l'ovulation se produise de façon autonome (signal cérébral) par libération de l'hormone LH, on s'exposerait à ne pas pouvoir déterminer avec précision le moment du recueil des ovules mûrs : la rupture des follicules avec émission spontanée des ovules hors de l'ovaire) survient entre trente-sept et quarante heures après le déclenchement de l'ovulation, que celui-ci soit provoqué par le signal cérébral (LH) ou par l'injection (hCG). Puisqu'il est indispensable de recueillir les ovules au moment où ils sont mûrs, mais sans risquer d'intervenir après leur éviction de l'ovaire, leur collecte prend place entre trente-quatre et trente-six heures après le déclenchement par hCG. Il est alors facile de programmer l'heure des interventions, même si plusieurs patientes sont opérées le même jour, en échelonnant les moments d'injection de hCG avec un délai d'une heure entre chaque patiente. En pratique le déclenchement (injection de hCG) est provoqué le soir du jour favorable, entre vingt et une et vingt-quatre heures et les ponctions folliculaires pour recueil des ovules ont lieu le surlendemain entre huit et douze heures.

Une nouvelle méthode a récemment été mise au point par notre équipe pour programmer plusieurs semaines à l'avance le jour de la ponction folliculaire. Il s'agit de faire précéder le traitement de stimulation ovarienne par la prise d'une pilule qui place les ovaires dans un état de repos relatif. L'intervention chirurgicale a lieu douze jours après l'arrêt de la pilule, période pendant laquelle les ovaires sont stimulés par un traitement standard, sans aucun contrôle hormonal ou échographique. Il suffit donc de fixer le jour d'intervention pour calculer, à rebours, le calendrier du traitement. Le plus surprenant est que cette méthode aboutit à des résultats équivalents à ceux obtenus par les méthodes conventionnelles, plus astreignantes et onéreuses. Ainsi se trouve relativisé ce qu'on croyait être la compréhension des phénomènes physiologiques en jeu dans le cycle menstruel, compréhension étayée par l'analyse savante du bilan fonctionnel quotidien... La méthode d'ovulation programmée présente bien des avantages pour les patients comme pour l'équipe FIVÈTE, et pour la Sécurité sociale. Pourtant on ne peut éviter d'évoquer l'instrumentalisation croissante du processus de procréation. On applique désormais à l'homme les méthodes de gestion des troupeaux animaux connues sous le sigle charmant de « maîtrise de la reproduction ». Pratique, économique, efficace, la maîtrise qui vient de la procréation humaine a un peu le parfum d'une nouvelle lessive.

Il existe actuellement deux principales modalités de recueil des ovules. Dans chaque cas, une grande aiguille est introduite successivement dans chacun des follicules mûrs ; le contenu de ces follicules (environ 5 cm^3 de liquide entraînant l'ovule) est aspiré à l'aide d'une seringue, ou d'une pompe à vide, et immédiatement apporté au laboratoire. Afin de repérer les follicules à ponctionner, les ovaires peuvent être observés par cœlioscopie sous anesthésie générale : un instrument optique (cœlioscope) est introduit par le nombril et permet de guider l'aiguille jusqu'au follicule. Cette méthode a pu être allégée puisque certaines cœlioscopies sont réalisées sous anesthésie locale, ce qui permet d'éviter les contre-

indications de l'anesthésie générale et surtout de
ne pas hospitaliser la femme opérée : la FIVÈTE
est de plus en plus pratiquée en hôpital de jour.
Enfin, la seconde méthode, qui ne nécessite ni
anesthésie générale ni introduction abdominale du
cœlioscope, consiste à guider l'aiguille jusqu'au
follicule sous contrôle d'un appareil d'échographie. Selon la position de chacun des ovaires de la
patiente, l'aiguille de ponction peut alors être
introduite dans l'abdomen par différentes voies :
soit à travers la paroi abdominale, soit à travers le
cul-de-sac vaginal, soit par le canal de l'urètre.
Chacune de ces méthodes peut être appliquée à
telle ou telle patiente en fonction de critères
multiples qui prennent en compte le désir
exprimé par la femme et la situation anatomique
de son abdomen.

Une dizaine de jours avant le recueil d'ovules,
le conjoint devra effectuer une spermoculture,
c'est-à-dire un examen bactériologique de son
sperme, lequel n'est jamais un milieu stérile.
Quand la concentration des germes est faible, on
estime que le plus grand nombre d'entre eux sera
éliminé au cours de la préparation des spermatozoïdes et que les germes résiduels seront efficacement combattus par les antibiotiques présents
dans le milieu de culture. Si les germes sont
présents en plus grande quantité, on prescrira à
l'homme un traitement antibiotique, mais si leur
concentration est très élevée, l'intervention
FIVÈTE sera reportée jusque après la guérison de
l'infection.

A l'issue de la phase *in vitro* (voir p. 181), on
procède au transfert embryonnaire qui est effectué deux jours après le recueil des ovules pour la
plupart des équipes. Toutefois le transfert peut

avoir lieu après trois ou quatre jours de culture et
on peut même rendre l'œuf à l'utérus après un
jour seulement, c'est-à-dire avant la première
division de l'embryon. Souvent, l'ensemble des
embryons obtenus *in vitro* sont transplantés dans
l'utérus. C'est ainsi que la naissance de quintuplés
a été rapportée après transfert de six embryons.
Cette situation est fortement défavorable, notamment d'un point de vue obstétrical, et nous avons
résolu de limiter à trois au maximum le nombre
des embryons restitués à l'utérus. Le transfert
s'effectue par les voies naturelles : on introduit
par le vagin un cathéter (tube en matière plastique
souple) contenant le ou les embryons qui sont
déposés dans la cavité utérine avec un très faible
volume de liquide de culture. Il s'agit d'une
intervention simple, mais elle demande beaucoup
de minutie et une bonne relaxation de la patiente.
Celle-ci conserve la position gynécologique de
transfert pendant quelques minutes avant de se
déplacer ; nous avons pu montrer que, si une
expulsion réflexe se produit parfois à l'issue du
transfert de l'embryon, ce phénomène est relativement rare et limité à la première heure. La
patiente regagne son domicile le même jour avec
une prescription de prélèvements sanguins des-
tinés à rechercher précocement des signes d'activité embryonnaire (sécrétion par l'embryon de
hCG qui peut être détectée à partir du onzième
jour après la fécondation). Les mêmes prélèvements sanguins permettront de vérifier la « qualité de la phase lutéale », c'est-à-dire le niveau de
sécrétion des hormones (œstradiol et progesté-
rone) par les corps jaunes, glandes ovariennes
issues de la transformation des follicules après
l'ovulation. Toutes ces analyses ne modifieront

pas l'issue de la tentative mais elles permettent de savoir parfois si l'embryon a vécu, ne serait-ce que quelques jours, ou de révéler qu'un environnement hormonal inadéquat peut expliquer l'échec de la grossesse. Ces résultats sont complétés par la courbe de température. L'échec conduit à la réinscription pour une nouvelle tentative, quelques mois plus tard, sauf si une contre-indication a été découverte à cette occasion.

Quand une grossesse débute, elle est l'objet d'un contrôle hormonal hebdomadaire jusqu'à sa vérification par échographie vers deux mois, puis son suivi médical est le même que pour une grossesse obtenue naturellement. Pourtant, s'agissant de grossesse « précieuse », le repos de la mère est plus fréquemment prescrit afin d'assurer les conditions d'évolution les plus favorables.

L'indication d'amniocentèse pour contrôler la qualité chromosomique du fœtus n'existe plus que dans des circonstances particulières (âge de la patiente, antécédents familiaux, évolution atypique de la grossesse). En effet la fréquence des anomalies graves rapportée pour plusieurs centaines d'enfants nés après FIVÈTE est d'environ 1 %, soit égale ou inférieure à celle connue pour la fécondation naturelle.

LA PHASE *IN VITRO*

C'est la période du cycle FIVÈTE pendant laquelle les gamètes sont préparés puis mis en contact *in vitro* (hors du corps) jusqu'à l'obtention d'un embryon divisé deux jours plus tard. La fécondation externe de l'ovule humain et la culture de l'embryon doivent s'effectuer dans des conditions d'environnement physique aussi proches que possible de celles qui existent dans l'appareil génital : température régulée à 37 °C, obscurité, légère alcalinité (pH = 7,3 à 7,5), pression osmotique maintenue vers 280-290 milliosmoles/kg. Ces conditions sont assurées par un équipement adéquat. Dans l'isolement intellectuel où nous nous sommes trouvés, dès le début du programme FIVÈTE, nous avons voulu réaliser des conditions de culture exceptionnellement fiables ; celles-ci diffèrent aussi bien de celles qui sont utilisées chez l'animal que de celles (découvertes ultérieurement comme étant les mêmes) qui permettent aux autres équipes de réaliser la FIVÈTE dans l'espèce humaine.

En circulant dans les couloirs de la maternité, je découvris avec intérêt ces « couveuses » transparentes dans lesquelles on place les nouveau-nés pour les transporter, ou pour les incuber plus ou moins longtemps si leur état le nécessite. Il suffisait d'introduire dans une telle couveuse l'équipement optique et quelques adaptations pour en faire un ventre accueillant qui soit aussi un mini-laboratoire. La culture se fait dans des petits tubes en matière plastique, chacun prenant place dans une boîte thermostatée, à l'abri de la lumière. Ces tubes contiennent un volume de milieu nutritif suffisamment important (0,5 à 1 cm^3) pour que la pression osmotique reste stable malgré une très faible évaporation ; les tubes reçoivent en permanence un mélange gazeux : oxygène utile au métabolisme des cellules cultivées et gaz carbonique qui maintient le pH du milieu par équilibre avec le tampon bicarbonate. Le gaz de culture provient d'une bouteille extérieure contenant un mélange de trois gaz (5 % de gaz carbonique + 5 % d'oxygène + 90 % d'azote) et subit, dès son entrée dans l'incubateur, un barbotage dans de l'eau distillée à 37° C : il est ainsi réchauffé et humidifié ; puis ce gaz parcourt la série des tubes en culture par de fines canalisations qui vont d'un tube au suivant, chaque tube contenant un ovocyte ou un embryon.

Le milieu nutritif utilisé pour la fécondation et la culture de l'œuf humain diffère d'une équipe à l'autre, sans que les résultats paraissent en dépendre. Il contient de nombreuses substances en concentrations variables (albumine, sels minéraux, acides aminés, vitamines, etc.) et est classiquement additionné de sérum sanguin humain au moment de l'emploi. Les équipes françaises utilisent le milieu B2 de Ménézo dont la composition a été établie par ce biochimiste, à partir des sécrétions des trompes de femelles animales. Par rapport aux milieux choisis par les équipes étrangères, le B2 est relativement « riche » et présente un intérêt considérable pour la compréhension des activités précoces de l'œuf : la totalité de la phase *in vitro* peut être réalisée en milieu B2 sans aucune addition de sérum sanguin ; jusqu'ici, toute étude du métabolisme de l'œuf humain, pendant son court séjour *in vitro*, était impossible par l'analyse ultérieure du milieu dans lequel l'œuf a été incubé, ce milieu subissant une « contamination » chimique par les nombreuses substances contenues dans le sérum. Il va donc devenir possible de savoir ce que l'œuf a consommé ou ce qu'il a sécrété, et d'effectuer des études métaboliques ou immunologiques qui présentent un double intérêt : augmenter nos connaissances sur le tout début de la vie sans prendre aucun risque pour l'embryon et, éventuellement, établir des critères d'activité de l'embryon qui pourraient être corrélés avec les résultats du transfert dans l'utérus. La principale difficulté actuelle pour réaliser ces analyses tient à la disproportion du volume de l'œuf (sphère de diamètre 1/10 millimètre par rapport au volume du milieu où il a séjourné (environ un million de fois supérieur).

La figure 4 montre les différentes étapes de la phase *in vitro*. Aussitôt après le recueil du contenu folliculaire, les seringues contenant le liquide aspiré sont introduites dans l'incubateur et, pendant les deux jours de culture à l'extérieur du corps, l'ovule puis l'embryon ne seront pas extraits de ce ventre artificiel. L'ovule est recherché, sous contrôle d'une loupe binoculaire (grossissement : quarante fois) au sein du liquide folliculaire déposé dans une boîte de culture. A l'aide d'une petite pipette en verre, on aspire la masse constituée par l'ovule et les nombreuses cellules qui l'entourent et on la dépose immédiatement dans un tube contenant du milieu de culture préchauffé à 37 °C. Ce tube reçoit une étiquette qui porte le nom de la patiente et le numéro de l'ovule, dans l'ordre du recueil ; puis il est introduit dans le compartiment obscur et reçoit le courant circulant du gaz. Une à six heures plus tard, on procède à l'insémination. Selon certains, au cours de cette préincubation, l'ovule ou les cellules qui l'entourent subiraient quelque ultime maturation. Pourtant il se pourrait que la préincubation soit favorable seulement quand l'ovocyte est recueilli immature mais devient défavorable s'il était déjà mûr et se trouve exposé au vieillissement avant l'insémination. Puisque les cellules folliculaires qui entourent l'ovocyte gênent le diagnostic de son état de maturité, il est difficile de recourir à une durée de préincubation « à la carte » avant de procéder à l'insémination *in vitro*.

Le partenaire masculin est sollicité pour produire son sperme dans les heures qui suivent le recueil des ovules ; on lui demande d'écrire lui-même son nom sur le récipient pour éviter toute confusion, mais surtout pour répondre à une angoisse de paternité manifeste. On doit attendre environ quinze minutes pour que le sperme émis, d'abord très visqueux, se liquéfie spontanément au contact de l'air ; puis commence le traitement d'une partie de l'éjaculat (en général 2 cm³ suffisent). Ce traitement comporte deux étapes successives (fig. 4). D'abord le « lavage » des gamètes : cette opération a pour but d'éliminer le plasma séminal (c'est-à-dire le liquide qui véhicule les cellules sexuelles) parce qu'il inhibe la fécondation. En effet, dans la fécondation naturelle le plasma séminal est retenu au niveau du col utérin qui ne laisse remonter vers les trompes que les spermatozoïdes motiles. On dilue le sperme avec une solution saline et, après homogénéisation, le tube ainsi préparé est soumis à une ou deux centrifugations modérées. On obtient alors un culot cellulaire contenant différents éléments du sperme (spermatozoïdes vivants, mourants ou morts, leucocytes) et il s'agit dans une deuxième étape de sélectionner les seuls spermatozoïdes vivants : on dépose délicatement du milieu de culture sur le culot et on attend que les gamètes les plus motiles s'en échappent pour nager dans la solution nutritive. Après quinze à vingt minutes d'incubation, on recueille le milieu surnageant et on estime, à l'aide d'un microscope, la concentration des spermatozoïdes motiles et apparemment normaux.

On peut alors procéder à l'insémination de l'ovule en attente, avec un nombre défini de spermatozoïdes. En quelques années d'histoire de la FIVÈTE, ce nombre a progressivement diminué (de 1 million à 40 000 par cm^3), tandis que le succès de la fécondation augmentait par suite d'améliorations méthodologiques. Ainsi actuellement, vingt mille spermatozoïdes seulement sont utilisés pour féconder un ovule placé dans 0,5 cm^3 de milieu. Le mariage des gamètes se produit dans les heures qui suivent l'insémination. Dans les espèces animales on a décrit une maturation ultime des spermatozoïdes (la capacitation), nécessaire pour que les gamètes mâles acquièrent leur pouvoir fécondant. La capacitation du spermatozoïde humain est très rapide puisque l'ovule peut être pénétré *in vitro* moins de trois heures après l'émission du sperme, elle est facilement réalisée dans le milieu de culture, grâce en particulier à la présence d'albumine.

L'œuf n'est observé que le lendemain de l'insémination. Non pour affirmer que la fécondation a eu lieu : un examen fiable risquerait de compromettre l'avenir de l'œuf. Mais on doit placer l'œuf dans un milieu neuf, dépourvu de spermatozoïdes dont la mort progressive risquerait de libérer dans le milieu des substances toxiques. On profite de cette manipulation pour effectuer en même temps la dénudation de l'œuf, c'est-à-dire retirer les cellules d'origine folliculaire qui l'entourent encore et qui empêcheraient d'observer le stade de division le jour suivant. Cependant, l'œuf étant dénudé, on recherche rapidement la présence de noyaux (ou pronucléi) en son sein. Si deux noyaux sont observés, la division est la règle ; si aucun n'est vu, elle reste fréquente car les pronucléi ont souvent disparu vingt heures environ après la fécondation ; si plus de deux noyaux sont détectés, l'œuf est éliminé car, pénétré par plusieurs spermatozoïdes, il risquerait de se développer en fœtus anormal. Après cet examen, l'œuf est immédiatement replacé en culture dans les mêmes conditions, dans un milieu nutritif dépourvu de spermatozoïdes, pour sa seconde et dernière journée hors du corps.

On estime que la première division de l'embryon (stade deux cellules) survient entre vingt-cinq et trente-cinq heures après la fécondation, c'est-à-dire la nuit, à un moment où le laboratoire est fermé. C'est seulement à partir de neuf heures le second jour (soit au moins quarante heures après l'insémination) qu'on rendra donc le verdict attendu dans l'angoisse par le couple FIVÈTE. A ce moment, l'embryon compte généralement deux à six cellules et, quel que soit le stade de division, tout embryon divisé est susceptible d'être à l'origine d'une grossesse. Les « œufs » non divisés sont extraits de l'incubateur et soumis à un examen microscopique pour tenter de comprendre la cause de l'échec (immaturité du gamète féminin, non-pénétration par un spermatozoïde, fécondation anormale). Si plusieurs embryons sont obtenus pour une même patiente, un à trois d'entre eux sont introduits dans un cathéter au moment du transfert dans l'utérus. Les éventuels embryons « surnuméraires », précédemment sacrifiés pour l'étude d'un protocole adéquat de congélation-décongélation (voir Techniques complémentaires à la FIVÈTE, p. 114) sont effectivement conservés par le froid depuis avril 1985.

COÛT ET RÉSULTATS

On doit insister ici sur les allégements progressivement introduits dans le déroulement du cycle FIVÈTE tandis qu'augmentait son efficacité. Alors que les premières patientes étaient hospitalisées pendant une semaine ou davantage, la durée d'hospitalisation a été ramenée à un ou deux jours, et même souvent annulée. Le nombre moyen des prélèvements sanguins nécessaires aux dosages des hormones préovulatoires a été divisé par cinq environ ; l'anesthésie générale est évitée dans de nombreux cas. La FIVÈTE tend donc à être pratiquée en hôpital de jour et son coût a largement diminué. Il est actuellement d'environ dix mille francs par cycle de tentative. La gratuité est la règle dans le secteur public du service public : les actes médicaux sont intégralement pris en charge par la Sécurité sociale (au titre du traitement de la stérilité) tandis que les frais de laboratoire sont assumés par l'organisme de tutelle (INSERM, université, Assistance publique). Une étude en cours au ministère de la Santé vise à nomenclaturer les actes biologiques de la FIVÈTE pour conduire à leur prise en charge dans les mêmes conditions que les actes cliniques.

Le « prix moyen » d'un bébé FIVÈTE, qui est aujourd'hui de cent mille francs environ (puisque le taux de succès global est voisin de 10 %), devrait être divisé par trois dans les années à venir. Cette estimation prend en compte l'allégement des actes médicaux et la quasi-suppression de l'hospitalisation ; elle retient aussi la perspective d'une plus grande efficacité par cycle de traitement, en particulier grâce à la cryopréservation des embryons. Enfin, on assiste à une révision fondamentale dans les modalités de surveillance du cycle FIVÈTE, révision qui permet d'éliminer dosages hormonaux et échographies ovariennes, tout en planifiant longtemps à l'avance la date de l'intervention. Aussi peut-on envisager que les patientes programment leur tentative en fonction de leurs impératifs professionnels ou de leurs dates de vacances... et que l'équipe FIVÈTE soit enfin dispensée d'intervenir les jours fériés.

Comme pour toute méthode nouvelle, l'expression des résultats obtenus par les différentes équipes internationales est à considérer soigneusement. D'abord parce que les progrès constants réalisés par ces équipes conduisent le plus souvent à la publication de résultats fragmentaires, soit qu'ils concernent exclusivement une période particulièrement favorable, soit qu'ils n'analysent en chiffres qu'une étape du cycle FIVÈTE, en omettant de mentionner la totalité des interventions appliquées aux couples stériles. En particulier, on trouve rarement mention du nombre de patientes soumises au traitement de stimulation hormonale. On peut estimer qu'environ 20 % de ces patientes n'apparaissent jamais dans les résultats parce que l'intervention pour recueil d'ovules n'a pas lieu (réponse ovarienne insuffisante ou atypique, ovulation détectée précocement, spermoculture positive du conjoint, etc.). A ces difficultés méthodologiques, que connaissent bien d'autres domaines de recherche, s'ajoutent deux aspects particuliers à la FIVÈTE : le premier est que la grossesse étant un phénomène évolutif et de longue durée, elle peut être définie de multiples façons, depuis un retard de règles jusqu'à la naissance d'un enfant ; il est bien évident que la définition la plus précoce est celle qui permet d'annoncer les meilleurs scores. L'autre singularité de la FIVÈTE est qu'elle a connu très vite un développement important en dehors de toute réglementation ; ainsi, pour aider au recrutement d'une « clientèle », ou seulement pour ne pas faire piètre figure, il existe des façons avantageuses de présenter les résultats qui, même quand les chiffres ne sont pas absolument « falsifiés », ne rendent pas compte de la totalité du processus. Il est évident que de nombreux groupes qui se sont lancés, parfois prématurément, dans la FIVÈTE ont le souci compréhensible, au-delà de cette méthode elle-même, de ne pas être écartés de la gynécologie de demain.

A la fin de 1986, il existe en France plusieurs dizaines de centres FIVÈTE, publics ou privés, ne faisant l'objet d'aucune habilitation autre que celle qui s'applique à tous les établissements médico-chirurgicaux, comme si la FIVÈTE était déjà banalisée. En fait, un centre FIVÈTE, c'est d'abord une équipe qualifiée et un plateau technique adapté, une méthode biomédicale composée de techniques médicales bien connues et de techniques biologiques nouvelles. Vouloir créer un centre FIVÈTE avec un biologiste d'analyses médicales plutôt qu'avec un biologiste de la reproduction, c'est comme vouloir faire pratiquer une intervention gynécologique par un dermatologue. La plupart des médecins qui s'impliquent dans la FIVÈTE ignorent qu'il existe autant de spécialités en biologie qu'en médecine. Certainement les résultats seront la preuve de cette légèreté, mais qui connaîtra exactement les performances de tel ou tel centre FIVÈTE puisque le fameux secret médical interdit tout contrôle ? Il devrait être dans les attributions d'un comité officiel de s'informer des résultats obtenus ici ou là pour les faire connaître aux consommateurs potentiels.

Le bilan des tentatives effectuées en 1985 par trente-neuf groupes français a été dressé en avril 1986. Au cours de cette année seulement six mille interventions (cycles avec ponction de follicules) ont permis de concevoir *in vitro* plus de onze mille embryons humains, à l'origine de huit cents grossesses cliniques. Pour les seules interventions antérieures à juillet 1985, on note la naissance de six cents enfants dont seulement six anormaux. L'enquête a démontré l'importance du niveau d'activité des équipes sur le taux de succès : on observe quinze, dix ou quatre grossesses cliniques pour cent ponctions, selon que l'équipe a pratiqué plus de quatre cents, de cent à deux cents, ou moins de cinquante tentatives dans l'année. Ces différences peuvent provenir d'un meilleur savoir-faire des équipes bien entraînées ou du choix qu'elles font des cas les plus favorables pour le recrutement.

Au niveau mondial, plusieurs milliers d'enfants sont nés après FIVÈTE à la fin de l'année 1986. Deux constatations importantes sont venues combler heureusement des incertitudes : il naît autant de filles que de garçons et ces bébés sont parfaitement normaux. On peut analyser les performances actuelles de la méthode entre les meilleures mains, c'est-à-dire pour environ deux dizaines d'équipes dans le monde. On constate que parmi cent patientes soumises au recueil d'ovules la transplantation d'un à trois embryons sera effectuée dans l'utérus de soixante-quinze d'entre elles environ. Chez quinze patientes il y aura un début de grossesse, diagnostiquée par la présence dans le sang maternel d'une hormone embryonnaire (hCG) et dix grossesses seulement se poursuivront jusqu'à l'accouchement d'un enfant normal. On peut s'étonner de la proportion apparemment élevée des avortements spontanés. En fait, la recherche très précoce d'une activité embryonnaire chez les patientes FIVÈTE nous permet de détecter cette activité avant même le moment prévu des règles ; il n'y a donc aucune possibilité de comparaison avec les données de la procréation naturelle où la grossesse est caractérisée par des signes cliniques plus tardifs. Parmi les cinq grossesses (sur quinze) qui n'évolueront pas jusqu'à dix semaines, deux en moyenne s'interrompent avant que des signes cliniques indiscutables n'apparaissent ; la fréquence des « avortements cliniques » plus tardifs n'est pas différente de ce que l'on observe après fécondation naturelle. Ce taux est légèrement supérieur à celui connu pour les grossesses établies en dehors de toute intervention médicale, mais comparable à celui des avortements quand l'ovulation est artificiellement induite (environ 25 %). Puisque la grossesse ne survient que chez une sur quatre ou cinq des patientes bénéficiant du transfert de un ou plusieurs embryons, l'acte de transfert dans l'utérus a longtemps été incriminé comme principal responsable des échecs de la FIVÈTE. En fait, d'autres paramètres sont en jeu, comme les conséquences de la stimulation hormonale sur l'accueil de l'embryon dans l'utérus et surtout la viabilité de ces embryons. Il est vraisembable que tous ces facteurs interviennent sans qu'on connaisse actuellement leur importance respective ; le transfert embryonnaire n'est que le dernier maillon chronologique d'une chaîne d'événements encore mal maîtrisés.

L'observation la plus frappante est la relative homogénéité des résultats internationaux dans les meilleures équipes : environ 10 % des femmes opérées pour recueil d'ovules auront la chance de mettre au monde un enfant neuf mois plus tard (et ce taux peut être doublé si on recourt à la cryopréservation des œufs). Pourtant les méthodes de stimulation hormonale et de culture *in vitro* diffèrent sensiblement d'un groupe à l'autre ; pourtant le succès de l'étape *in vitro* varie de 50 à 75 % selon les groupes. Cette observation peut faire craindre qu'en l'état actuel des connaissances, la FIVÈTE ait atteint sa limite d'efficacité. Il s'agit cependant de résultats cumulés pour des indications médicales multiples, et qu'il faudrait pouvoir analyser plus soigneusement. En particulier, dans notre expérience, la quasi-totalité des échecs de fécondation *in vitro* est la conséquence d'une mauvaise qualité du sperme. Avec davantage de recul, on devrait reconnaître que les caractéristiques somatiques (ou psychologiques) du couple sont la source de différences importantes dans les résultats de la FIVÈTE. Il pourrait en résulter une attitude plus sélective quant aux indications mais aussi une orientation des efforts de recherche pour résoudre des problèmes spécifiques. De telles recherches en sont encore aux balbutiements. En particulier, alors que la définition de protocoles adéquats pour la stimulation ovarienne d'un mammifère à ovula-

tion unique, la vache, a nécessité plus de vingt ans
de travaux, le traitement hormonal des patientes
FIVÈTE n'est qu'une adaptation de celui utilisé
classiquement en clinique gynécologique : les
mêmes substances, et à des doses équivalentes,
sont administrées soit dans le but d'induire l'ovulation unique chez des femmes anovulatoires, soit
pour induire la superovulation (plusieurs ovules)
chez des femmes normalement cycliques. C'est
seulement en imaginant de nouveaux modes de
stimulation ovarienne qu'on parviendra à recueillir des ovules de qualité en nombre élevé ; ce but
est important puisque le taux de grossesse augmente quand plusieurs embryons sont transplantés simultanément, ou successivement,
comme le permet déjà la cryoconservation des
œufs. On doit admettre pourtant que l'espèce
humaine est déjà une exception étonnante parmi
les mammifères : hormis les rongeurs, elle est la
seule chez qui la fécondation est réalisée en
routine *in vitro* ; de toutes les espèces elle est la
seule chez qui l'embryon peut être transplanté
avec succès dans l'utérus avant le moment normal
où il devrait s'y trouver (soit au moins trois jours
après la fécondation).

On devrait donc plutôt s'interroger sur la
relative performance de la FIVÈTE qui, compte
non tenu de la congélation d'embryons, n'est que
deux fois moins efficace que la nature, malgré la
mise en œuvre d'une série de manipulations qui
injectent des « artifices » dans la totalité du processus de reproduction : stimulation hormonale
des ovaires, capture de l'ovule avant l'ovulation,
traitement du sperme, mariage des gamètes et
culture de l'œuf en milieu synthétique, introduction précoce de l'embryon dans l'utérus... C'est

justement grâce à la création d'une situation artificielle contrôlée que, malgré ces manipulations, la fertilité n'est pas complètement supprimée par les perturbations induites sur les gamètes et l'appareil génital féminin. Et c'est certainement parce que la fertilité humaine est naturellement faible que la FIVÈTE réussit relativement bien chez l'homme. Les données épidémiologiques indiquent que les chances d'établir une grossesse viable, pour un couple de fertilité normale, sont de 15 à 30 % par cycle menstruel. Comparée aux espèces animales, notre espèce est mal adaptée à la reproduction ; la productivité ovarienne est faible (un seul ovule par mois), le sperme est souvent déficient (20 à 25 % des hommes présentent un spermogramme « anormal »), et surtout il n'y a aucun contrôle comportemental du moment de la fécondation et donc de l'âge des gamètes susceptibles de se rencontrer, le rapport sexuel étant sous dépendance de circonstances psychologiques plutôt que de régulations physiologiques. Car, hormis de rares exceptions, l'accouplement des mammifères est synchronisé avec le moment de l'ovulation : à cette période (l'œstrus), la femelle dispose de follicules mûrs dont la sécrétion hormonale provoque le comportement d'acceptation du rapport avec le mâle. Cette régulation est parfois poussée jusqu'à la perfection comme chez le lapin ; c'est le coït, pratiqué avec une femelle en œstrus, qui induit l'ovulation onze heures plus tard ; ce délai est optimum pour l'acquisition par les spermatozoïdes et les ovocytes de la meilleure aptitude à la fécondation.

La FIVÈTE peut corriger toutes ces « carences » naturelles ; elle augmente le nombre d'ovules produits grâce à la stimulation hormonale, elle permet la sélection des spermatozoïdes les plus motiles (quelques milliers seulement sont nécessaires *in vitro* alors que l'éjaculat en contient normalement deux cents millions) et elle opère le mariage des gamètes au moment précis où ils ont la plus grande aptitude à produire ensemble un œuf de qualité.

Puisque l'artifice fait la force de la FIVÈTE, il faudra bien en ajouter encore pour dépasser l'apparente barrière actuelle des chiffres ; les perfectionnements concerneront les techniques déjà habituelles mais aussi l'adjonction à la FIVÈTE de techniques sœurs et de techniques cousines, afin que la procréation humaine reste une affaire de famille.

GLOSSAIRE

Blastocyste   Embryon âgé de cinq à dix jours environ, creusé d'une cavité limitée par de petites cellules (le trophoblaste) ; sur un pôle sont regroupées des cellules plus grosses (bouton embryonnaire) à l'origine du développement de l'individu. Le blastocyste est d'abord libre dans l'utérus puis s'implante dans la paroi à partir du septième jour.

Blastomère   Nom donné aux premières cellules embryonnaires, jusqu'à la formation du blastocyste.

Caryotype   Résultat de l'analyse des chromosomes présents dans chacune des cellules composant un individu.

Chromosomes   Éléments du noyau cellulaire de structure individuellement déterminée et en nombre constant pour toutes les cellules de la même espèce (vingt-trois paires chez l'homme). Les chromosomes sont le support du patrimoine héréditaire.

Cryopréservation   Utilisation du froid intense pour conserver les cellules vivantes durant de longues périodes.

Follicule   Formation de cellules ovariennes autour de chaque ovocyte. Quelques semaines avant l'ovulation, le follicule croît rapidement et se creuse d'une cavité liquidienne. Au moment de la rupture, le follicule mesure plus de deux centimètres de diamètre et contient (outre l'ovule et de nombreuses cellules somatiques) environ 5 cm^3 de liquide.

Gamètes   Cellules germinales (ou sexuelles) mûres : ovule et spermatozoïde.

Génome   Ensemble des caractères génétiques d'un individu tels qu'ils sont transmis par la fécondation.

Implantation   Moment où s'établissent des relations cellulaires permanentes entre l'embryon et la paroi utérine (vers une semaine après la fécondation).

Insémination   Dépôt des spermatozoïdes à proximité de l'ovule. L'insémination peut être naturelle à l'occasion d'un rapport sexuel, ou artificielle par injection de spermatozoïdes dans les voies génitales féminines (vagin, col ou utérus). La fécondation *in vitro* est une forme particulière d'insémination artificielle.

Méiose   Mode particulier de division des cellules de la lignée sexuelle qui conduit à la formation des gamètes, tous différents entre eux.

Mitose   Mode de reproduction des cellules somatiques (n'appartenant pas à la lignée sexuelle) par lequel une cellule se divise en deux cellules identiques.

Œuf ou   Résultat de la fécondation d'un
embryon   ovule par un spermatozoïde. En général, on parle d'œuf depuis la fusion des gamètes jusqu'au stade du blastocyste et on parle d'embryon depuis la fusion des gamètes jusqu'à la formation du fœtus (soixantième jour).

Ovocytes   Cellules germinales féminines, présentes dans les ovaires avant même la naissance, et dont un faible nombre (environ trois cents) se transformeront en ovules, entre le moment de la puberté et celui de la ménopause.

Ovule   Gamète féminin apte à être fécondé. Expulsé du follicule au milieu de chaque cycle menstruel, il résulte de la matu-

	ration d'un ovocyte, quelques heures avant l'ovulation.
Pronucléi	Noyaux masculin et féminin de l'œuf juste fécondé. Chaque pronucléus contient des chromosomes, d'origine paternelle ou maternelle, qui conféreront à l'individu des caractéristiques uniques.
Régulation	Propriété de l'embryon de poursuivre un développement normal après modification naturelle ou provoquée du nombre de ses cellules. Ainsi des nouveau-nés normaux sont obtenus chez l'animal après séparation des blastomères ou fusion de plusieurs jeunes embryons (jusqu'à neuf chez la souris).
Segmentation	Premières divisions des cellules qui composent l'œuf fécondé. La segmentation conduit à la multiplication de cellules de plus en plus petites mais occupant ensemble un volume constant (environ 0,1 millimètre), limité par la zone pellucide.
Transfert ou Transplantation embryonnaire	Dépôt de l'embryon dans l'utérus pour qu'il puisse s'y implanter.
Zone pellucide	Enveloppe non cellulaire constituée autour de l'ovocyte et qui persiste après la fécondation, jusqu'au cinquième-sixième jour (stade du blastocyste).

Fig. 1: COUPLE NORMAL (fertilité = 15 à 30% par cycle menstruel)

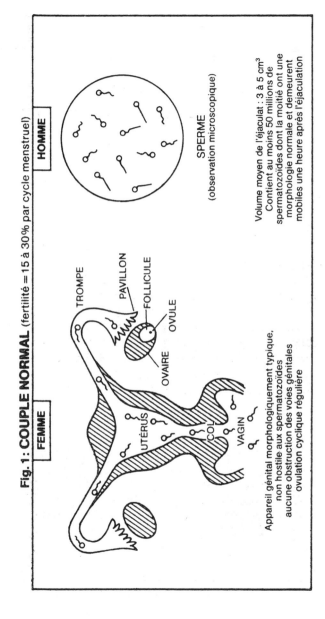

HOMME

SPERME
(observation microscopique)

Volume moyen de l'éjaculat : 3 à 5 cm³
Contient au moins 50 millions de
spermatozoïdes dont la moitié ont une
morphologie normale et demeurent
mobiles une heure après l'éjaculation

FEMME

TROMPE

PAVILLON

FOLLICULE

OVULE

OVAIRE

UTÉRUS

COL

VAGIN

Appareil génital morphologiquement typique,
non hostile aux spermatozoïdes
aucune obstruction des voies génitales
ovulation cyclique régulière

Fig. 2 : INDICATIONS FIVETE

PROBLÈME FÉMININ

UTÉRUS
Trompes bouchées (ou lésées)

Trompes absentes

COL
VAGIN
Anticorps anti-spermatozoïdes

PROBLÈME MIXTE

Stérilité inexpliquée

les examens médicaux ne permettent pas de déceler quelque anomalie importante chez les deux partenaires

MAIS

la fécondité n'est pas obtenue malgré des rapports sexuels au moment adéquat depuis plusieurs années

PROBLÈME MASCULIN

Oligospermie (faible nombre)

Tératospermie (anomalies nombreuses)

Asthénospermie (faible mobilité)

Fig. 3 : LE CYCLE FIVETE

HOMME	**FEMME**
1er mai	Menstruations (ou arrêt pilule si cycle programmé)
2 au 11 mai Contrôle sanitaire (spermoculture)	Traitement de stimulation ovarienne { Clomid + : hMG — Induction du développement de plusieurs follicules
10/11 mai	Contrôle { Echographie ovarienne : décompte des follicules / Dosage d'œstradiol dans le sang : estimation de la maturité des follicules
11 mai 22 h	Déclenchement de l'Ovulation par hCG
13 mai **10 h** Recueil des ovules → Cœlioscopie ou ponction sous contrôle échographique → Anesthésie générale ou Anesthésie locale **14 h 50** Recueil sperme	
13 au 15 mai	Phase *in vitro* { Mise en culture des ovules / Recueil et traitement du sperme / Fécondation et culture de l'embryon
15 mai	Transplantation embryonnaire .... 1 à 3 embryons dans l'utérus
18 au 27 mai	Contrôles hormonaux { Qualité de la sécrétion ovarienne (œstradiol et progestérone) / Détection d'hormone embryonnaire (hCG) / Contrôle quotidien de la température
27 mai	Menstruations ou Début de grossesse ↓ ↓ Réinscription Suivi clinique

Fig. 4 : LA PHASE

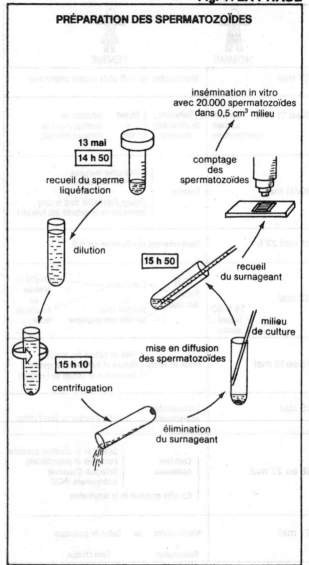

PRÉPARATION DES SPERMATOZOÏDES

insémination in vitro
avec 20.000 spermatozoïdes
dans 0,5 cm³ milieu

comptage
des
spermatozoïdes

13 mai
14 h 50

recueil du sperme
liquéfaction

dilution

15 h 50

recueil
du surnageant

milieu
de culture

15 h 10

centrifugation

mise en diffusion
des spermatozoïdes

élimination
du surnageant

IN VITRO

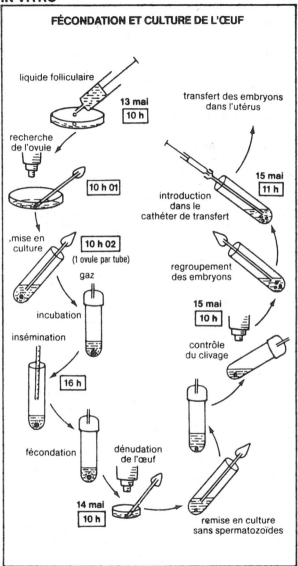

FÉCONDATION ET CULTURE DE L'ŒUF

liquide folliculaire

13 mai
10 h

recherche de l'ovule

10 h 01

mise en culture

10 h 02
(1 ovule par tube)

gaz

incubation

insémination

16 h

fécondation

dénudation de l'œuf

14 mai
10 h

remise en culture sans spermatozoïdes

contrôle du clivage

15 mai
10 h

regroupement des embryons

introduction dans le cathéter de transfert

15 mai
11 h

transfert des embryons dans l'utérus

Fig. 5 : TECHNIQUES COMPLÉMENTAIRES A LA FIVETE

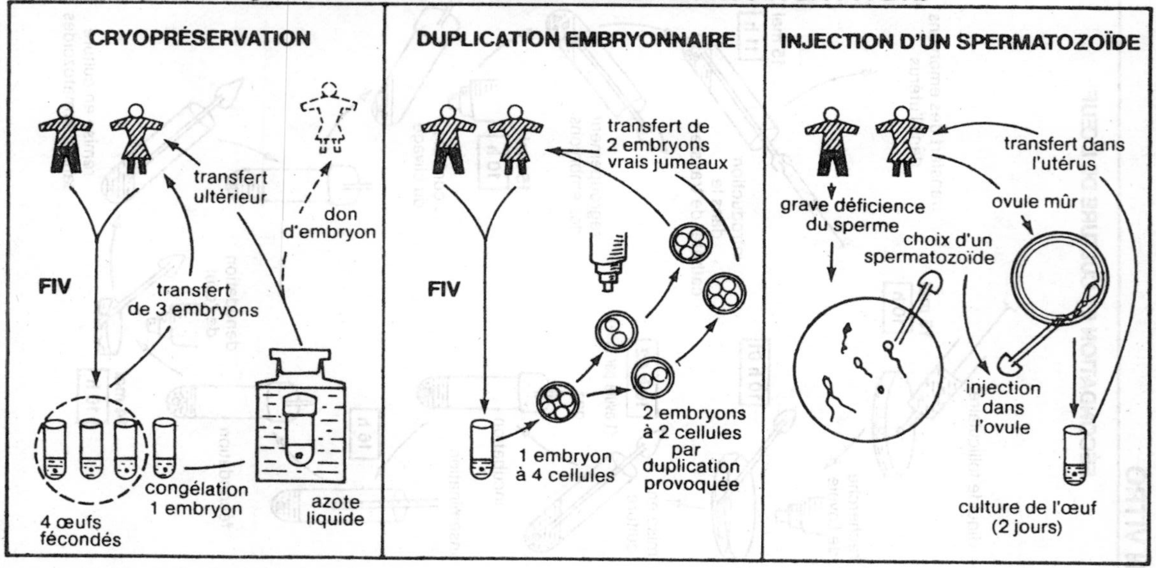

CRYOPRÉSERVATION

FIV

4 œufs fécondés

congélation 1 embryon

transfert de 3 embryons

transfert utérieur

don d'embryon

azote liquide

DUPLICATION EMBRYONNAIRE

FIV

1 embryon à 4 cellules

2 embryons à 2 cellules par duplication provoquée

transfert de 2 embryons vrais jumeaux

INJECTION D'UN SPERMATOZOÏDE

grave déficience du sperme

choix d'un spermatozoïde

injection dans l'ovule

ovule mûr

transfert dans l'utérus

culture de l'œuf (2 jours)

Fig. 6 : VARIANTES DE LA FIVETE

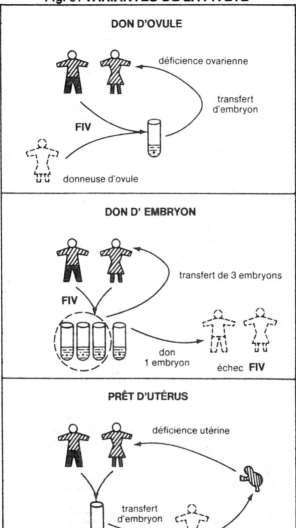

DON D'OVULE

déficience ovarienne

transfert d'embryon

FIV

donneuse d'ovule

DON D' EMBRYON

transfert de 3 embryons

FIV

don 1 embryon

échec **FIV**

PRÊT D'UTÉRUS

déficience utérine

transfert d'embryon

mère porteuse

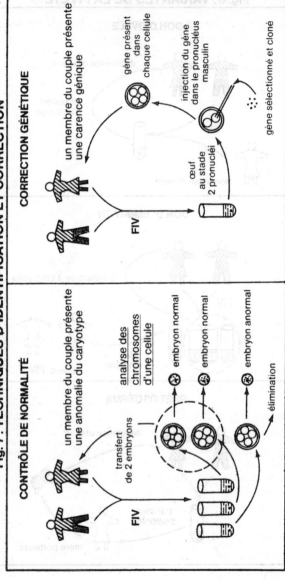

Fig. 7 : TECHNIQUES D'IDENTIFICATION ET CORRECTION

CONTRÔLE DE NORMALITÉ

un membre du couple présente une anomalie du caryotype

transfert de 2 embryons

FIV

analyse des chromosomes d'une cellule

embryon normal

embryon normal

embryon anormal

élimination

CORRECTION GÉNÉTIQUE

un membre du couple présente une carence génique

gène présent dans chaque cellule

injection du gène dans le pronucléus masculin

FIV

œuf au stade 2 pronucléi

gène sélectionné et cloné

Fig. 8 : PERVERSIONS DE LA FIVETE

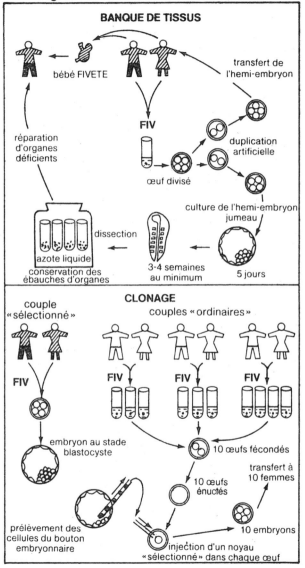

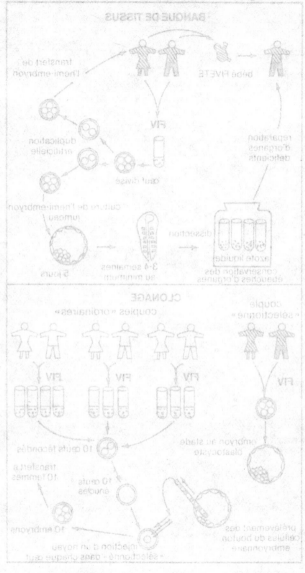

Fig. 8 : PERVERSIONS DE LA FIVETE

BIBLIOGRAPHIE

OUVRAGES :

CLARKE Robert, *Les Enfants de la science*, Stock, 275 p., 1984.

DUFRESNES Jacques, *La Reproduction humaine industrialisée*, coll. Diagnostic, Institut québécois de recherche sur la culture, Québec, 125 p., 1986.

FRYDMAN René, *L'Irrésistible désir de naissance*, PUF, 235 p., 1986.

GRANGE Dominique, *L'Enfant derrière la vitre*, Éd. Encre, 235 p., 1985.

TESTART Jacques, *De l'éprouvette au bébé-spectacle*, Éd. Complexe, coll. Le Genre humain, Bruxelles, 125 p., 1984.

THIBAULT Odette, *Des enfants comment ?*, Éd. Chronique sociale, Lyon, 98 p., 1984.

DE VILAINE Anne-Marie, Laurence GAVARINI, Michèle LE COADIC, *Maternité en mouvement*, Presses universitaires de Grenoble, Éd. Saint Martin de Montréal, 244 p., 1986.

WARNOCK Marie, « Fécondation et embryologie humaine », *La Documentation française*, 154 p., 1985.

Colloque Génétique procréation et droit, Paris, janvier 1985, Actes Sud, Arles, 570 p., 1985.

Conférence internationale de bioéthique, Rambouillet, avril 1985, CESTA, Paris, 367 p., 1986.

REVUES (numéros spéciaux) :

« Bioéthique et désir d'enfant », *Dialogue*, n° 87, 118 p., 1985.
« Objectif bébé. Une nouvelle science : la Bébologie », dirigé par Geneviève Delaisi de Parseval et Jacqueline Bigeargeal, *Autrement*, n° 72, 238 p., 1985.
Premières Journées françaises de périconceptologie, Georges David et Jacques Testart, *Hormones, Reprod., Métab.*, n° 12 et n° 13, 1986.
« Vers la procréatique », *Projet* n° 195, 170 p., 1985.

ARTICLES :

Fresco Nadine, « Les Enfantements artificiels », *Le Genre humain*, 9, Éd. Complexe, 21-39, 1983.
Heritier-Augé Françoise, « La Cuisse de Jupiter. Réflexions sur les nouveaux modes de procréation », *L'Homme* n° 94, 5-22, 1985.
Laborie Françoise, « Ceci est une éthique », *Les Temps modernes* n° 462, 1215-1255 et n° 463, 1518-1543, 1985.
Testart Jacques, « La Fécondation externe de l'œuf humain », *La Recherche*, n° 13, 144-156, 1982.
Testart Jacques, « Rose son nom de cerise en ce jardin d'hiver », *Esprit*, octobre 1986.

TABLE

DÉJÀ PARUS
Collection Champs

MOSCOVI Essais sur l'histoire humaine de la nature.
ORIEUX Voltaire (2 tomes).
PAPAIOANNOU Marx et les marxistes.
PAZ Le singe grammairien.
POINCARÉ La science et l'hypothèse.
PÉRONCEL-HUGOZ Le radeau de Mahomet.
PORCHNEV Les soulèvements populaires en France au XVIIᵉ siècle.
POULET Les métamorphoses du cercle.
RAMNOUX La Nuit et les enfants de la Nuit.
RENOU La civilisation de l'Inde ancienne d'après les textes sanskrits.
RICARDO Des principes de l'économie politique et de l'impôt.
RICHET La France moderne. L'esprit des institutions.
RUFFIÉ De la biologie à la culture (2 tomes).
Traité du vivant (2 tomes).
SCHUMPETER Impérialisme et classes sociales.

SCHWALLER DE LUBICZ R.A. Le miracle égyptien.
Le roi de la théocratie pharaonique.
SCHWALLER DE LUBICZ Isha disciple. Her-Back.
Her-Back « Pois Chiche ».
SEGALEN Mari et femme dans la société paysanne.
STRAROBINSKI 1789. Les emblèmes de la raison.
Portrait de l'artiste en saltimbanque.
STOETZEL La psychologie sociale.
STRAUSS Droit naturel et Histoire.
SUN TZU L'art de la guerre.
TAPIÉ La France de Louis XIII et de Richelieu.
TESTARD L'œuf transparent.
TRIBUNAL PERMANENT DES PEUPLES Le crime de silence. Le génocide des Arméniens.
THIS Naître... et sourire.
ULMO La pensée scientifique moderne.
VILAR Or et monnaie dans l'histoire 1450-1920.
WALLON De l'acte à la pensée.

Achevé d'imprimer en décembre 1986
sur les presses de l'Imprimerie Bussière
à Saint-Amand (Cher)

N° d'éditeur : 11143. —
Dépôt légal : octobre 1986.
N° d'impression : 3532.

Imprimé en France